BLV Naturführer

Moor und Heide

Pflanzen und Tiere
nach Farbfotos bestimmen

Dr. Eckart Pott

BLV Verlagsgesellschaft
München Wien Zürich

Bildnachweis

Bellmann: 47 ur, 57 ur, 63 ol, 63 ur, 69 ul, 71 or, 71 u, 73 o, 75, 77 u, 79 o, 81 ul, 81 ur, 83 o, 83 u, 89 o, 91 o, 91 u, 93 o; Danegger: 105 u, 123 o; Eisenbeiss: 29, 41 u, 45 u, 51 ur, 59 ol, 77 o; Hölscher: 71 ol; Limbrunner: 119 o; Moosrainer: 101 o, 105 o, 115 u, 119 u; Pfletschinger/Angermayer: 69 o, 69 ur, 79 u, 81 o, 85 u, 89 u, 93 u; Pforr: 21 u, 39 u, 45 ol, 109 o, 117 ul, 123 u; Quedens: 99 o, 111 u, 113 o; Reinhard: 21 o, 35 ol, 35 u, 37 ol, 37 u, 51 or, 99 u, 117 ur, 121 o, 121 u; Ronnefeld/Pott: 49 u; Schrempp: 19 ul, 31 o, 39 o, 63 or, 73 u, 85 o, 95 u, 115 o; Wisniewski: 97, 111 o; Wolfstetter: 55 o, 57 o, 65 u, 87 o; Wothe: 113 u; Ziesler/Angermayer: 107
Alle anderen Fotos stammen vom Autor

Grafiken: Hermut Geipel

Titelbild: Weber (Birkhahn)

Foto S. 2: Das Wildseemoor in der Nähe von Wildbad im Nordschwarzwald – ein intaktes, geschütztes Hochmoor

CIP-Kurztitelaufnahme der Deutschen Bibliothek

Pott, Eckart
Moor und Heide: Pflanzen u. Tiere nach Farbfotos bestimmen / Eckart Pott. – München; Wien; Zürich: BLV Verlagsgesellschaft, 1985.
   (BLV Naturführer; 143)
   ISBN 3-405-13139-1

NE: GT

BLV Naturführer 143

Satz und Druck: Appl, Wemding
Bindung: Großbuchbinderei Monheim

Printed in Germany · ISBN 3-405-13139-1

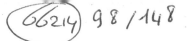

BLV Naturführer

Alpen ... n · Aquarienfische · Bach – Fluß – See · Bäume + Sträucher ·
Fisch... – Gifttiere · Heilpflanzen · Heimische Pflanzen 1 · Heimische
Pflan... sekten · Lebensraum Stadt · Mein Hobby: Mikroskopieren ·
Mein ... de uitleer ...ografieren · Mein Hobby: Pflanzen kennenlernen · Mein
Hobby ... loopt af op ... beobachten · Mein Hobby: Steine sammeln · Mein Hobby:
Vögel ... ...ralien + Gesteine · Moor und Heide · Pflanzen am
Mittelme... ...tiere · Schmetterlinge · Spuren und Fährten unserer
Tiere · Ster... ...er · Strand und Küste – Wattenmeer · Versteinerungen ·
Vögel · Wald ... ...asservögel – Strandvögel · Wiesen und Felder ·
Wolkenbilder ... W... vorhersage · Zootiere

BLV Bestimmungsbuch

Amphibien und Reptilien · Aquarienfische · Bäume + Sträucher · Bäume und
Sträucher Europas · Blumen am Mittelmeer · Edelsteine und Schmucksteine ·
Farbige Pflanzenwelt · Farne – Moose – Flechten · Fossilien · Foto-Pflanzenführer ·
Gräser · Heilpflanzen · Die Höhlen Europas · Hunderassen der Welt · Insekten +
Weichtiere · Katzenrassen der Welt · Meeresfische · Muscheln + Schnecken ·
Orchideen Europas · Pferderassen der Welt · Pflanzen der Tropen · Pflanzen
Europas · Pflanzen- und Tierwelt der Alpen · Pilze · Pilzführer · Säugetiere ·
Säugetiere Afrikas · Steine + Mineralien · Sterne + Planeten · Süßwasserfische ·
Tiere und Pflanzen an Mittelmeerküsten · Tierspuren · Vögel · Wetterkunde
für alle

BLV Intensivführer

Alpenpflanzen · Laubgehölze · Nadelgehölze · Pilze, Band 1 und 2 ·
Vögel, Band 1–3

BLV Dreipunkt-Buch

Bäume und Sträucher · Früchte der Bäume und Sträucher · Frühling im Wald ·
Pflanzen am Wegrand · Pflanzen der Wiese · Pilze · Sommer im Feuchtgebiet ·
Vögel im Wald · Vögel in Garten und Park · Vogelnester, Vogeleier

Weitere BLV Bücher zum Bestimmen

BLV Vogelführer · Der große BLV Mineralienführer · Der große BLV Naturführer ·
Der große BLV Pflanzenführer · Der große Pilzführer, Band 1–4 · Heilpflanzen in
Farbe · Das neue BLV Pilzbuch · Der neue BLV Steine- und Mineralienführer ·
Stimmen der Vögel Europas

Weitere BLV Naturbücher

BLV Bildatlas der Bäume · Das farbige BLV Hausbuch der Natur · Der große BLV
Heilpflanzenatlas · Korallenriffe · Tiere in der Landschaft · Wie Tiere denken

BLV Umweltwissen

Autofahren umweltfreundlich · Darum brauchen wir den Wald · So stirbt der Wald ·
Wenn Gewässer sauer werden

Einleitung

Moore und Heidegebiete sind für den Naturfreund immer wieder eine Exkursion wert. Denn hier wie dort findet er spezialisierte Pflanzen- und Tierarten vor, die in anderen Lebensräumen nicht vorkommen. Während aber Moore natürlichen Ursprungs sind, ist die Heide ein Produkt des menschlichen Einflusses auf die Landschaft. Beziehungen zwischen Moor und Heide bestehen insofern, als in feuchten Senken etwa der Lüneburger Heide Moore liegen und sich auf abgetorften Moorflächen eine Vegetation ansiedeln kann, die der Landschaft einen heideähnlichen Charakter verleiht.

Moor

Als Moore bezeichnet man Gebiete, in denen die Oberfläche von Torf bedeckt ist, d. h. hier stockt eine artenarme, torfbildende Vegetation auf feuchtem bis nassem Untergrund. Es ist klar, daß Moore niemals in niederschlagsarmen Gegenden vorkommen; sie sind vielmehr an feuchte Bedingungen gebunden. Die Niederschläge müssen etwa oberhalb von 700 mm pro Jahr liegen. Betrachtet man die Karte Europas, so stellt man fest, daß Moore vor allem in Mittel- und Nordeuropa liegen. Aber auch hier sind sie nicht gleichmäßig über die Flächen der einzelnen Länder verteilt. In Deutschland beispielsweise liegen die Schwerpunkte in Nord- und Süddeutschland. Große Moorvorkommen liegen in Skandinavien, wo ganze Landstriche von Mooren bedeckt sind.

Moorentstehung Moore können eine ganz unterschiedliche Ausdehnung und einen ganz unterschiedlichen Charakter haben, und für die einzelnen Moortypen wurden eigene Begriffe geprägt. Am Beispiel der Verlandung eines nährstoffreichen Sees oder Weihers soll hier zunächst schematisch eine Entwicklung dargestellt werden, die über das Flachmoor zum Hochmoor führt. Entlang des Ufers eines solchen nährstoffreichen, stehenden Gewässers findet man eine typische Zonierung der Vegetation. Wenn man versucht, vom Land zum freien Wasser hin vorzudringen, durchquert man zunächst einen feuchten Bruchwald, in dem Erlen und andere an feuchte Standorte angepaßte Bäume und Büsche vorherrschen. Dieser Waldgürtel kann aber zuweilen fehlen. Ihm schließt sich eine breite Zone an, in der Sauergräser vorherrschen. Typisch sind die Seggen. Zwischen ihnen tauchen allmählich einzelne Halme des Schilfs auf. Nach und nach verdichtet sich das Bild zum Schilfröhricht, einer Pflanzengemeinschaft mit ganz speziellen Lebensbedingungen. Das Schilf ist insofern eine bemerkenswerte Pflanze, als es auch noch im Wasser gedeihen kann. Bis in eine Wassertiefe von 1,50 m dringt die Pflanze vor. Im Boden liegt ein verzweigter Wurzelstock; die Halme werden 1 bis 4 m hoch. Im Röhricht findet man auch den auf den ersten Blick ähnlichen Rohrkolben, der bis zu 2 m hoch werden kann. Bei zunehmender Wassertiefe vermögen beide Pflanzen nicht mehr zu gedeihen. Jetzt findet man die gesellig wachsende Sumpfbinse, ansonsten aber nur noch Pflanzen, deren Blätter und Blüten der Wasseroberfläche aufliegen, die Schwimmblattpflanzen. Hier wären vor allem die Weiße Seerose und die Gelbe Teichrose zu nennen. Es folgen die Unterwasserpflanzen, die untergetaucht wachsen, aber an der Oberfläche blühen. Laichkräuter verschiedener Arten bestimmen das Bild. Dazwischen wachsen Fadenalgen (beispielsweise Arten der Gattungen *Cladophora* und *Spirogyra*). Andere – vor allem einzellige – Algen wachsen auch auf den Stengeln der höheren Pflanzen. Man faßt sie unter dem Begriff Aufwuchsalgen zusammen. Diese Randzone eines Gewässers bietet natürlich auch vielen Tieren Lebensmöglichkeiten, vor allem Schnecken und Wasserinsekten und deren Larven, die wiederum Fischen als Nahrung dienen. Da auch im freien Wasser ein reges Leben herrscht – Planktonalgen werden von Zooplanktern, diese wiederum von Fischen gefressen –, ist verständlich, daß in solch einem Gewässer auch viel biologisches Material abstirbt und zum Gewässerboden sinkt. Dort sammelt sich im Laufe der Zeit ein muddiger Schlamm an. Ein biologischer Abbau ist oft nicht mehr möglich, weil die vorhandenen Sauerstoffmengen dazu nicht ausreichen. Im Laufe langer Zeiträume nun füllt sich das Becken des Sees oder Weihers langsam auf. Das bedeutet, die Wassertiefe nimmt ab, und Pflanzen aus der Randzone des Gewässers können gegen die Gewässermitte hin vorrücken. Schließlich ist die freie Wasserfläche völlig verschwunden. Ein Flach- oder Niedermoor ist entstanden. In Deutschland machen Moore dieses Typs eine Fläche von rund 5100 km^2 aus.

Das Flachmoor und seine Vegetation stehen noch in engem Austausch mit dem Untergrund. Ein solches Moor ist also durch ausreichende Nährstoffversorgung gekennzeichnet. Die Entwicklung geht aber weiter. Man spricht jetzt vom Zwischen- oder Übergangsmoor. In den ständig durchfeuchteten Flächen siedeln sich Torfmoose der Gattung *Sphagnum* an, und diese Moose sind für die weitere Entwicklung sehr bedeut-

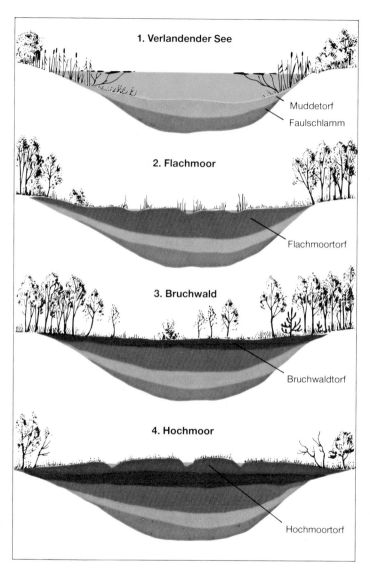

1. Verlandender See

Muddetorf
Faulschlamm

2. Flachmoor

Flachmoortorf

3. Bruchwald

Bruchwaldtorf

4. Hochmoor

Hochmoortorf

Die typische Entwicklung eines Hochmoors: Ein nährstoffreicher See verlandet –
ein Flachmoor entsteht – über das Stadium Bruchwald bildet sich ein Hochmoor.

sam. Sie können nämlich in ihren in den Blättern liegenden Wasserspeicherzellen große Mengen an Feuchtigkeit wie ein Schwamm festhalten. Es herrscht also nach entsprechender Ausbreitung der Torfmoose eine mehr oder weniger ausgewogene, hohe Bodenfeuchtigkeit, die andere Pflanzen benachteiligt oder sogar schädigt. Die einzelnen Moospolster wachsen zu geschlossenen Decken zusammen, und die vorhandene Vegetation wird nach und nach überwachsen und erstickt. Torfmoose wachsen nun relativ schnell, und während ein Pflänzchen oben weiterwächst, sterben die unteren Teile ab. Der Untergrund ist aber stark durchnäßt, sauerstoffarm und versauert. Unter diesen Bedingungen wird der biologische Abbau erschwert, und es bilden sich Schichten aus unvollständig zersetztem Pflanzenmaterial. Solche Schichten nennt man Torf. Schicht um Schicht wächst die Torfmoosdecke nun in die Höhe. Sie wölbt sich wie ein Uhrglas auf: Ein Hochmoor ist entstanden (Fläche in der BRD: etwa 3500 km^2). Die lebende Pflanzendecke hat längst den Kontakt zum Untergrund verloren. Die Feuchtigkeit bezieht sie aus den Niederschlägen, die Minerale aus eingeblasenem Flugstaub. Die Bedingungen im Hochmoor sind also durch Nährstoffarmut gekennzeichnet. Im Hochmoor wachsen daher auch nur noch wenige, aber sehr markante Pflanzenarten. Eine Besonderheit ist der Sonnentau: Er versucht seinen Nährstoffhaushalt dadurch zu bereichern, daß er mit Hilfe seiner Blätter Insekten und andere Kleintiere fängt und verdaut. Ein weiteres Kennzeichen der Hochmoore ist die starke Erwärmung der Pflanzendecke bei starker Einstrahlung, da jede höhere, schattenspendende Vegetation fehlt.

Das Hochmoor in seiner typischen Form kann nun gegliedert werden. Die Hochfläche ist meist keine Ebene, vielmehr sind kleine Erhebungen und Vertiefungen vorhanden. Man spricht von Bulten und Schlenken. Die Schlenken sind oft mit Wasser gefüllt, das auf Grund der Huminstoffe braun gefärbt ist. Mehrere Schlenken können zu Kolken oder Blänken zusammentreten. Man spricht auch von Mooraugen. Es ist zu erwarten, daß in den unterschiedlichen Bereichen der Hochfläche ganz unterschiedliche Pflanzen gedeihen. Am Rand geht die Hochfläche in das sogenannte Randgehänge über, das oft bewaldet ist. Begrenzt wird es von einer Senke, dem Lagg. Dies alles ist natürlich ein Idealtyp von Hochmoor, den man draußen nicht unbedingt wiederfinden wird, vor allem nicht in Mitteleuropa, wo intakte Hochmoore selten geworden sind. Was aber insgesamt deutlich wird, ist, daß Moore Produkte einer jahrhunderte- bzw. jahrtausendelangen Entwicklung sind. Und auch wenn wir Menschen das Gefühl haben, die Natur um uns herum befände sich in einem Endzustand, so ist das Gegenteil richtig. Der Prozeß der Moorbildung

Moore sind für den Naturfreund Lebensräume, in denen er spezialisierte Pflanzen-
und Tierarten findet. Für die Torfindustrie sind sie Lieferanten eines Stoffes, den
man gewinnbringend vermarkten kann. Interessenskonflikte sind unvermeidlich.

läuft nur so langsam ab, daß er uns nicht bewußt wird. Wir stoßen aber
immer wieder auf Stellen, in denen Moorbildung im Gange ist, auch
wenn sie nicht in das skizzierte generelle Schema des Übergangs vom
nährstoffreichen, stehenden Gewässers bis hin zum Hochmoor passen.
Vermoorte Stellen findet man in feuchten Senken, an feuchten Hängen,
in Uferwäldern und an ähnlichen Stellen. Die Pflanzen, die hier wachsen,
sind ein guter Indikator für die Lebensbedingungen.

Nutzung der Moore Moore sind von jeher menschenfeindliche Flächen. Es waren weite Gebiete, mit nur niedriger Vegetation bedeckt, die
auf einem trügerischen Untergrund wuchs. Die Dichtung ist voll von entsprechenden düsteren Geschichten. Aber da sie große Flächen be-
deckten und immer mehr Menschen ernährt werden mußten, ließ der
Mensch die Moore natürlich nicht in Ruhe, sondern versuchte, sie
»urbar« zu machen. Die Geschichte der Moornutzung in Deutschland
beginnt etwa im 12. Jahrhundert. Die erste Maßnahme zur »Kultivierung«
eines Moores ist immer, es mit einem System von Gräben und Kanälen
zu durchziehen. Wenn erstmal ein großer Teil des Wassers abgeflossen

ist, ist die typische Moorvegetation zum Absterben verurteilt. Als erste sterben die Torfmoose ab, dann folgen die weiteren spezialisierten Pflanzen nach. Daß mit der Veränderung der Vegetation auch eine Veränderung der Tierwelt einhergeht, versteht sich von selbst. Wenn das Moor dann trockengelegt ist, kann der Mensch die Pflanzendecke abtragen und die Torfschichten abstechen. Bis in unser Jahrhundert geschah das mit dem Spaten per Hand, heute machen das Maschinen. Die Torfindustrie in der Bundesrepublik ist überwiegend in Norddeutschland angesiedelt, hauptsächlich in Niedersachsen. Jährlich werden rund 11 Millionen m^3 Torf abgebaut. Und die Perspektive sieht so aus, daß in 25 bis 30 Jahren ein Ende des Torfabbaus bevorsteht.

Der Torf wurde früher viel als Heizmaterial benutzt. Bei uns ist er so kaum noch von Bedeutung. Das ist aber in anderen Ländern anders: In Irland stammen 12% des Primärenergieverbrauchs aus der Verbrennung von Torf. In Finnland, Rußland usw. liegen die Anteile des Torfes noch höher. Bei uns steht vor allem die Verwendung des Torfes im Gartenbau im Vordergrund. Wenn man also will, dann ist der Gärtner der größte Feind der Moore: Ganze Lebensräume, die in Jahrhunderten gewachsen sind, werden in Säcke verpackt und im Garten aufs Mistbeet gestreut. Es ist daher verständlich, daß die Naturschützer mittlerweile immer erboster auf die Barrikaden steigen und sagen: Torf gehört ins Moor. Zumal die ehemaligen Moorflächen, sind sie einmal abgeräumt, und haben die Firmen ihre Profite gemacht, liegenbleiben, um der Landwirtschaft zu dienen: Weiden werden angelegt, aber auch Felder. Die Vernichtung der Moore, vor allem in Norddeutschland, ist eine ökologische Sünde allererersten Ranges. Die beiden Karten zeigen deutlich, wie drastisch die Landschaft in unserem Land verändert wurde.

Schutz der Moore Nun kann man natürlich sagen, Moore sind unnütze Flächen, und vom Torfmoos kann der Mensch nicht leben, also soll man wenigstens den Torf nutzen. Mag dieser Standpunkt auch von unserem gesamten Wirtschaftsverständnis her begründbar sein, so stellen doch immer mehr Menschen fest, daß sie unter einem Mangel an natürlicher Umgebung leiden. Ursprünglichkeit ist in vieler Hinsicht wieder gefragt. Und einen Teil der Moore will man heute erhalten. Man versucht also, Moore unter Schutz zu stellen. Daß dies unabdingbar nötig ist, beweist allein schon die Tatsache, daß von den 209 höheren Pflanzenarten, die im Hochmoor vorkommen, 1980 bereits 123 auf der Roten Liste standen und 40 davon wiederum akut vom Aussterben bedroht sind.

Moore sind aber nicht kleinräumig zu schützen. Vielmehr müssen große Flächen unter Schutz gestellt werden, damit der Wasser- und der Nähr-

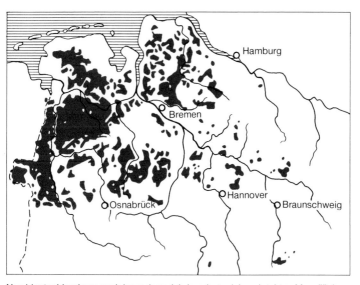

Norddeutschland war noch im vorigen Jahrhundert reich an intakten Moorflächen. Die obere Karte zeigt die Flächen um etwa 1800. Die untere Karte zeigt die Situation um etwa 1930. Der Verlust an Moorflächen dauert an.

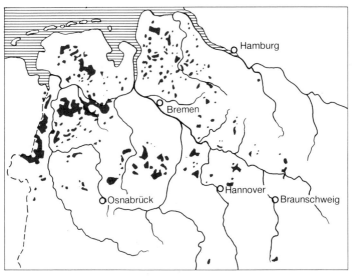

stoffhaushalt nicht gefährdet werden. Ende 1982 standen von den 8700 km² Moorfläche der BRD ganze 182 km² unter Naturschutz. In Niedersachsen, dem am meisten betroffenen Bundesland, gibt es ein »Moorschutzprogramm«, das zum Ziel hat, die geschützten Moorflächen in den nächsten Jahren um ca. 600 km² zu erweitern. Aber auch dieses letztgenannte Vorhaben dürfte nicht einfach sein. Denn überall in unserem dichtbesiedelten Land sind die Verkehrs- und Städteplaner am Werke, die subventionierte Landwirtschaft und andere Interessengruppen. Am Ende stehen die Naturschützer oft vor großen aufgerissenen Flächen und müssen überlegen, wie man so ein ehemaliges Moor vielleicht wieder regenerieren kann. Man schüttet Gräben zu, staut Kanäle auf, damit der Untergrund wieder Feuchtigkeit ziehen kann. Tatsächlich siedeln sich dann auch langsam wieder die typischen Moorpflanzen an, aber der Prozeß dauert eben Jahrzehnte und Jahrhunderte. Bis dahin ziehen die Maschinen der Torfindustrie weiter und vernichten das nächste Moor.

Heide

Mit dem Begriff »Heide« verbindet wohl jeder spontan die Lüneburger Heide. Tatsächlich versteht man unter Heide eine offene Landschaft auf nährstoffarmen Böden mit einer typischen Zwergstrauchvegetation. In der Landschaft herrscht das flächendeckende Heidekraut vor. Dazwischen wachsen vereinzelt Wacholder, hin und wieder auch Kiefern und Birken. Man denkt weiter an die Heidschnucken und deren Ställe mit den weit herabgezogenen Dächern. Schließlich fallen einem auch noch die Geschichten und Lieder des »Heide-Dichters« Hermann Löns ein: Alle Birken grünen in Moor und Heid . . .

Entstehung und Nutzung der Heide   So wie sich die Heide heute darstellt, hat das Land aber nicht immer ausgesehen. Um die Frage zu beantworten, wie die Heide entstanden ist, muß man weit zurückgehen. Nach der letzten Eiszeit hat sich nämlich erst die Vegetation ausgebildet, die Grundlage des heutigen – vom Menschen allerdings sehr stark beeinträchtigten – Landschaftsbildes ist. Nach dem Abschmelzen des Eises vor etwa 10–15000 Jahren bildeten sich nacheinander unterschiedliche Waldtypen aus, die den jeweils herrschenden klimatischen Bedingungen angepaßt waren. Im Gebiet der heutigen Lüneburger Heide muß man von einem Eichen-Birken-Kiefern-Wald als ursprünglichem Zustand ausgehen. Der Mensch begann nun, die Wälder als Weidefläche

In der Lüneburger Heide im Gebiet um den Wilseder Berg herum: der Totengrund.

zu benutzen. Andererseits wurden die Wälder auch gerodet, um Acker-flächen Platz zu machen. Zunächst geschah das eher inselartig. Nach und nach wurden aber immer größere Flächen unter den Pflug genommen. Der Wald spielte auch eine Rolle als Lieferant von Bau- und Brennholz. Der Schiffsbau war ein Hauptabnehmer, die Salzgewinnung in der Gegend um Lüneburg verschlang weitere Mengen. Durch Verkochen des salzhaltigen Wassers kam man zu dem begehrten Salz. Auf den armen Böden des Gebietes konnten sich dann Heidekraut und Wacholder ansiedeln. Die Flächen waren ausgebeutet und im Prinzip nutzlos geworden. Der Mensch griff nun wieder ein. Einerseits wurden große Gebiete mit Kiefern, z. T. auch mit Fichten, wieder aufgeforstet. Andererseits ergaben sich aber weitere Nutzungsmöglichkeiten der Heide. Die eine war die Haltung von Heidschnucken, einer Schafrasse, die sich von Heidekraut ernähren kann. Das andere Haustier, das von Bedeutung ist, ist die Honigbiene. Schnuckenhaltung und Imkerei waren die beiden wirtschaftlichen Säulen der bäuerlichen Bevölkerung dieses Landstriches.

Unter der Heidekrautdecke bildet sich nun ein saurer Rohhumus, und unter Bedingungen mit hohen Niederschlägen kommt es zu besonderen Bodenbildungsprozessen, deren Ergebnisse man an Abbruchskanten in der Heide sehr gut beobachten kann. Die obersten Bodenschichten erscheinen grau. Sie sind ausgelaugt; die Mineralien werden in die Tiefe gewaschen, wo sie einen dunkelbraunen Anreicherungshorizont bilden, den man Ortstein nennt. Diese Schicht ist deutlich verfestigt. Einen Boden mit einem solchen Profil nennt man Podsol. Grundlage ist ein armer Sandstein oder auch Sand. Die weitere landwirtschaftliche Nutzung dieser Böden ist nur möglich, wenn man die harte Ortsteinschicht durch Tiefpflügen durchbricht, was einen hohen Aufwand erfordert. Außerdem muß intensiv gedüngt werden. Es bleibt also eigentlich nur die Aufforstung, um wenigstens Holzertrag zu erzielen – oder aber man reserviert das Gebiet als Truppenübungsplatz, und tatsächlich liegen hier die gravierendsten Schutzprobleme. Es ist klar, daß LKWs und Raupenfahrzeuge die Pflanzendecke stark schädigen. Da die Pflanzen aber keine Zeit haben, sich zu regenerieren, sieht es auf den Übungsplätzen oft aus wie auf dem Mond. Kein Wunder, daß die Naturschützer hier deutlich Einspruch erheben.

Gilt für die Lüneburger Heide und die anderen Heidegebiete in Norddeutschland, daß die Böden dort nährstoffarm sind, so trifft das auf die Heiden in Süddeutschland, etwa im Bereich der Schwäbischen Alb, nicht zu. Auch hier findet man Flächen mit niedriger Vegetation und eingestreuten Wacholderbüschen. Sie liegen aber auf kalkhaltigem Untergrund und weisen daher eine andere Flora auf. Typische Pflanzen sind die Aufrechte Trespe, das Federgras, die Silberdistel und verschiedene Orchideen. Man bezeichnet diese Flächen als Steppenheiden. Auch sie sind fast ganz auf den Einfluß des Menschen zurückzuführen. Der hier vorherrschende Eichenmischwald wurde als Weidegebiet genutzt. Die Wälder wurden aber auch gerodet, um Feldern Platz zu machen. Nur an einigen Stellen ist die Steppenheide die von Natur aus vorkommende Vegetation.

Schutz der Heide Auch die Heiden weisen – wie die Moore – spezialisierte Tier- und Pflanzenarten auf, und es ist unumgänglich, zu deren Erhaltung größere Flächen unter Schutz zu stellen. Wenn auch die Heide nicht eine natürliche Vegetation darstellt, so stellt sie aber eine schützenswerte, historisch gewachsene Kulturlandschaft ganz eigenen Charakters dar. Sie ist also so etwas wie ein lebendes Museum. Im Gebiet der Lüneburger Heide haben sich schon früh Menschen Gedanken über Schutzmaßnahmen gemacht. Einige haben ganze Heidegebiete einfach aufgekauft, die beste Maßnahme überhaupt. Ein bekannter Name ist Alfred Toepfer, ein Hamburger Fabrikant, der es mit anderen Gleichgesinnten fertiggebracht hat, den Naturschutzpark Lüneburger Heide zu begründen. Heute betragen die geschützten Flächen in der Lüneburger Heide 20 000 ha, in der Südheide 50 000 ha. Das schönste Gebiet ist das um den Wilseder Berg herum, eine Touristenattraktion, die jährlich, vor allem zur Heideblüte im August, Tausende von Menschen anzieht. Und wie üblich schaffen die Menschenmassen, die diese noch relativ intakte Landschaft sehen wollen, neue Probleme. Sie bringen Unruhe ins Gebiet; sie schädigen die Vegetation so stark, daß man viele Wege schon seitlich einfassen mußte, um die Erosion einzudämmen. Und sie hinterlassen Zigarettenpapier und Bierdosen.

Man kann die Natur in diesen Schutzgebieten aber auch nicht einfach sich selbst überlassen. Vielmehr sind regelrechte Pflegemaßnahmen notwendig, um das Landschaftsbild zu erhalten. So ist es nötig, die Heidschnucken regelmäßig in der Heide grasen zu lassen, damit die Zwergsträucher kräftig und gesund bleiben und junge Birken und Kiefern verbissen werden. Oft ist zudem Maschineneinsatz notwendig, um die Heide kräftig zu mähen, und sogar kontrolliertes Brennen ist in gewissen Fällen eine Pflegemaßnahme.

Der Anflug von Baumsamen ist auch das Problem in den Steppenheiden. Hier müssen die Naturschützer immer wieder eingreifen, um die Flächen offen zu halten. Denn nur dann bleibt die Tier- und Pflanzenwelt dieser interessanten Lebensräume erhalten.

Moor-Bergkiefer *Pinus rotundata* (Abb. oben links und rechts)

Auf seinen Exkursionen in Moor- und Heidegebiete wird der Naturfreund fast immer auch Kiefernbestände antreffen. 2 Arten spielen eine Rolle, die es auseinanderzuhalten gilt. Sowohl bei der Waldkiefer oder Föhre *(Pinus sylvestris)* als auch bei der Moor-Bergkiefer sitzen die Nadeln zu zweit in einer Scheide. Die Nadeln werden jeweils 3 bis 8 cm lang.

Bei der Waldkiefer sind die Nadeln blaugrün gefärbt. Die Zapfen sitzen an Stielen, die sich nach der Blüte herabkrümmen. Reife Zapfen sind ohne Glanz. Die Rinde ist rotbraun gefärbt. Dieser Nadelbaum wird 10 bis 40 m hoch. Er ist anspruchslos, was den Boden angeht. Als Tiefwurzler kann er auch auf mageren Böden – etwa Sandböden – existieren. Mit seinem weitverzweigten Wurzelwerk kann er noch aus beträchtlicher Tiefe das nötige Wasser herauftransportieren. Die tiefreichende Wurzel hat aber auch zur Folge, daß der Baum bei starken Stürmen nicht umgeworfen, sondern einige Meter oberhalb des Bodens abgeknickt wird. Moore, Heidegebiete und Dünengelände sind Standorte, auf denen die Waldkiefer gedeiht.

Die Moor-Bergkiefer ist nahe verwandt mit der in der Krummholzregion der Alpen wachsenden Latsche oder Legföhre *(Pinus mugo).* Ihre Nadeln sind hell- oder dunkelgrün gefärbt. Die nach der Reife glänzenden Zapfen stehen eher waagerecht vom Zweig ab, dem sie mehr oder weniger ansitzen. Die Rinde der Bergkiefer ist schwärzlich gefärbt. Es kommen beide Wuchsformen vor, sowohl strauchartig wachsende Exemplare als auch Bäume, die aber kaum mehr als 10 m hoch werden. Diese Nadelholzart kommt vor allem an den Rändern von Hochmooren vor. Die Moore im Schwarzwald und im Alpenvorland sind Stellen, wo man die Pflanze antrifft. – Beide Kiefernarten blühen im Mai/Juni.

Gewöhnlicher Wacholder *Juniperus communis* (Abb. unten)

Zu einer anderen Familie innerhalb der Klasse der Nadelhölzer als die Kiefern gehört der Wacholder, nämlich zu den Zypressengewächsen *(Cupressaceae).* Typisch für ihn sind die stechenden Nadelblätter, die zu dritt in Quirlen stehen. Sie sind bläulich gefärbt und werden 0,6 bis 2,1 cm lang. Ganz charakteristisch ist die Wuchsform des Wacholders, die wohl jedem von Bildern aus der Lüneburger Heide her bekannt ist: Der bis zu 3 m hohe Strauch wächst fast immer in Form einer Säule. Er ist zweihäusig und blüht im April/Mai. Später entdeckt man dann die schwarzbraunen, hellblau bereiften »Beerenzapfen«, die als Gewürz eine Rolle spielen, und aus denen Schnaps gebrannt wird.

Gagelstrauch *Myrica gale* (Abb. oben links)

Der Gagelstrauch ist eine mehr nördliche Art, deren Verbreitungs-
schwerpunkt in Nordeuropa, dem nördlichen Asien und in Nordamerika
liegt. In Deutschland trifft man ihn in Heidemooren etwa bis auf die Höhe
von Hannover an. Der Strauch wird 0,50 bis 1,50 m hoch und ist stark
verästelt. Er wächst oft herdenweise. Die kurz gestielten, lanzettlichen,
leicht gesägten Blätter werden etwa 5 cm lang und 1,5 cm breit. Sie sind
wechselständig angeordnet und auf der Oberseite dunkelgrün, auf der
Unterseite blasser gefärbt und flaumig behaart. Die Blüten des zweihäu-
sigen Strauches erscheinen im April/Mai, meist vor den Blättern. Sie stehen in aufrechten Kätzchen zusammen.

Zwergbirke *Betula nana* (Abb. oben rechts)

Nur 20 bis 70 cm mißt dieser kleine Strauch, der als Eiszeitrelikt noch an
einigen Stellen in Mitteleuropa vorkommt. Häufiger begegnet man der
Zwergbirke in den Tundren und Mooren Skandinaviens. Man kann sie
leicht an den rundlichen, stumpfen und gekerbten Blättern erkennen, die
an 1 bis 2 mm langen Stielen sitzen. Der Strauch blüht im April/Mai.

Moorbirke *Betula pubescens* (Abb. unten links)

Die Moorbirke wird gegenüber der Zwergbirke deutlich höher; sie
wächst strauch- oder baumartig und wird 5 bis 20 m hoch. Bei ihr hat
man auch eher den Eindruck, daß es sich um eine Birke handelt, denn
sie hat die typische weißlich-graue Rinde. Ihre Blätter sind ei- oder rau-
tenförmig, also nicht dreieckig wie bei der sonst ähnlichen Hängebirke
(Betula pendula). Die Blätter der Moorbirke sind außerdem auf der Unterseite in den Winkeln der Blattadern behaart. Die Art blüht im April/
Mai. Sie wächst in Moor- und Bruchwäldern und auf Zwischenmooren.

Schwarzerle *Alnus glutinosa* (Abb. unten rechts)

Dieser bis zu 25 m hohe, oft mehrstämmig wachsende Baum verträgt
hohe Bodenfeuchtigkeit. Daher findet man Schwarzerlenbestände auch
in Bruchwäldern am Rand von Hochmooren oder in Verlandungszonen.
Seine Rinde ist schwarzgrau und zeigt tiefe Risse. Die Blätter sind rund-
lich oder verkehrt-eiförmig und am Rand doppelt gesägt. Die Blüten
stehen in Kätzchen zusammen und erscheinen vor den Blättern, schon
Ende März/Anfang April. Das Foto zeigt die verholzten »Zapfen«.

Sumpfporst *Ledum palustre*

Ähnlich hoch wie Gagelstrauch und Zwergbirke wird der Sumpfporst: Die Pflanze wächst strauchartig und wird bis 1,50 m hoch. Ihre Blätter sind lanzettlich-linealisch geformt. Sie sind am Rand zur Unterseite hin eingerollt. Weiter sind sie unterseits rostrot-filzig behaart, wie auch die jungen Triebe. Die Blüten stehen in reichblütigen Dolden zusammengefaßt und sind weiß gefärbt; die Krone ist getrenntblättrig. Weiter weist die Blüte 10 Staubblätter auf. Den Sumpfporst kann man von Mai bis Juli blühend antreffen. Am Fundort fällt sofort der starke Duft auf, den die Pflanze ausströmt. Man findet den Sumpfporst auf Hochmoorflächen und in moorigen Wäldern (Kiefernmooren). In Nordeuropa ist er wesentlich weiter verbreitet als in Mitteleuropa, wo er nur zerstreut, dann aber gesellig wachsend, vorkommt.

Rosmarinheide *Andromeda polifolia*

Werden Zwergbirke, Gagelstrauch und Sumpfporst schon nicht sehr hoch, so gibt es doch noch eine weitere Gruppe von Pflanzen mit verholzten Sprossen, die meist nicht höher als 50 cm werden. Entsprechend nahe am Boden liegen die Erneuerungsknospen. Solche Pflanzen nennt man Zwergsträucher, und in Moor und Heide begegnet man gleich einer Vielzahl solcher kaum kniehoher Sträucher. Die meisten von Ihnen gehören einer einzigen Familie an, der der Heidekrautgewächse *(Ericaceae),* in die auch der schon beschriebene Sumpfporst einzuordnen ist.

Die Rosmarinheide wird 10 bis 40 cm hoch. Sie kriecht mit einer Grundachse in den obersten Torfmoosschichten entlang. Die aufstrebenden Zweige tragen linealisch-lanzettliche Blätter, die denen des Rosmarins *(Rosmarinus officinalis),* einer Gewürzpflanze aus dem Mittelmeerraum, ähneln (Name!). Sie sind ledrig-fest, oberseits dunkelgrün und unterseits hellgrün oder bläulichgrün gefärbt. Die Blattränder sind eingerollt. Im Mai/Juni erscheinen kleine Dolden mit jeweils 2 bis 8 kugeligen, zartrosa gefärbten Blüten. Die Rosmarinheide ist eine typische Pflanze der Hochmoore, wo man sie – wie schon gesagt – in den Torfmoosdecken auf den Bulten findet. Sie ist aber in der Lage, noch eine Zeitlang auf trockengelegten, ehemaligen Hochmooren zu überdauern. Die Dichte ihrer Vorkommen nimmt von Norden nach Süden ab. In den skandinavischen Mooren ist sie überall häufig; in Mitteleuropa werden die Vorkommen deutlich geringer. Am Südabfall der Alpen erreicht die Rosmarinheide die Südgrenze ihrer Verbreitung.

Gewöhnliche Moosbeere   *Oxycoccus palustris*

Die Moosbeere ist eines der winzigsten Pflänzchen aus der Familie der Heidekrautgewächse. Sie ist eine ausgesprochene Hochmoorpflanze, die auf den Torfmoospolstern der Bulten wächst. Man muß sehr genau hinsehen, will man die Pflanze entdecken. Sie kriecht nämlich mit einer bis zu 80 cm langen verholzten Grundachse in der Moosdecke dahin. Daran sitzen in Abständen die kleinen Blättchen. Sie werden 8 mm lang und sind länglich-eiförmig; ihr Rand ist umgebogen. Die Oberseite ist dunkelgrün gefärbt, die Unterseite weißgrau. Die Blätter fühlen sich ledrig-derb an; sie können den Winter überdauern.
Leichter findet man die Pflanze, wenn sie blüht. Am Ende der nur wenige Zentimeter langen Blütenstiele trägt sie rötliche Blüten, die zunächst wie vierstrahlige Sternchen aussehen, kurze Zeit später aber kleinen Turbanen ähneln. Die Kronblätter krümmen sich nämlich nach oben zurück. Dann sieht man auch deutlich die aus 8 Staubblättern gebildete Röhre und den Griffel herausschauen. Die Moosbeere blüht in der Zeit zwischen Mai und Juli. Ganz auffällig ist die Pflanze im Herbst, wenn die tiefroten Beeren ausgebildet sind, die einen Durchmesser von 5 bis 15 mm haben. Nach dem ersten Frost sind sie genießbar. Auch für die Moosbeere gilt – wie für verschiedene andere Moorpflanzen auch –, daß sie im Norden Europas häufiger ist als im Süden. In den Alpen kommt sie bis in 1800 m Höhe vor.

Preiselbeere   *Vaccinium vitis-idaea*

Weniger stark an das Hochmoor gebunden als die Moosbeere ist die Preiselbeere. Man findet sie zwar auch in Mooren, darüber hinaus kommt sie aber in den alpinen Zwergstrauchheiden vor, in Kiefern- und Fichtenwäldern; immer auf saurem, nährstoffarmem, humosem Boden. Der Zwergstrauch wird 10 bis 30 cm hoch. Die derben, wintergrünen Blätter sind am Rand eingerollt, auf der Oberseite dunkelgrün, auf der Unterseite hell blaugrün gefärbt. Wohl jedem sind die roten Früchte der Preiselbeere bekannt; sie werden gerne zu Kompott verarbeitet. Aber auch die Blüten der Pflanze sind sehr reizvoll. Sie stehen zu mehreren in traubigen Blütenständen vereinigt. Es sind kleine weißlich-rosa gefärbte Glöckchen. Die Preiselbeere blüht von Mai bis Juli.

Heidelbeere *Vaccinium myrtillus*

Für die Standortansprüche der Heidelbeere oder Blaubeere gilt ähnliches, was für die Preiselbeere schon gesagt wurde. Sie wächst ebenfalls auf sauren, humosen, nährstoffarmen Böden. Man findet sie nicht nur in Heidemooren, sondern auch in armen Laub- und Nadelwäldern, besonders in den Wäldern der Gebirgslagen. Die Pflanze ist weit verbreitet und kommt von der Ebene bis in Höhenlagen um 2400 m vor.

Der Zwergstrauch wird 15 bis 50 cm hoch. Auffällig sind der kantige, kahle Stengel und die eiförmigen, beiderseits grünen, fein gesägten Blätter, die aber im Gegensatz zu denen der Preiselbeere den Winter nicht überdauern. Im Mai/Juni trifft man die Heidelbeere blühend an. Die meist fünfzähnigen Blüten sind krugförmig ausgebildet. Ihre Färbung kann von grünlich bis rötlich variieren. Sie sitzen aber immer einzeln, nicht in traubigen Blütenständen gehäuft wie bei der Preiselbeere. Wenn die Heidelbeere im Herbst ihre blauschwarzen, hellblau bereiften, wohlschmeckenden Früchte trägt, wird sie wohl jeder erkennen.

Moorbeere, Rauschbeere *Vaccinium uliginosum*

Auf Zwischen- und Hochmoorflächen und in moorigen Wäldern trifft man neben der Heidelbeere oft auch die Moorbeere an. Wenn beide Pflanzen Früchte tragen, kann man sie leicht verwechseln, denn auch die der Moorbeere sind bläulich bereift; ihr Saft ist allerdings farblos, während der der Heidelbeere rot ist. An den Blättern kann man beide Arten ganz gut unterscheiden. Sie sind bei der Moorbeere auf der Oberseite hell mattgrün gefärbt, auf der Unterseite blaugrün. Auch die Blätter dieses Zwergstrauches fallen im Herbst ab. Die Blüten haben die Form kleiner Glöckchen und stehen bis zu viert traubig angeordnet an den Enden kurzer Seitenzweige. Die 4 bis 5 Kronblätter sind weiß oder leicht rötlich gefärbt. Sie werden nur wenige Millimeter lang. Die Moorbeere blüht im Mai/Juni.

Der bis zu 80 cm hohe Strauch ist weit verbreitet, fehlt aber auf Grund seiner Standortansprüche mancherorts völlig. In den Alpen kommt er bis in 2500 m Höhe vor, dann auch in den Zwergstrauchheiden. Ihren zweiten Namen Rauschbeere (ein dritter Name ist Trunkelbeere) erhielt die Pflanze übrigens, weil die Beeren bei reichlichem Genuß rausch- oder schwindelartige Zustände hervorrufen können. Die Beeren schmecken süßsäuerlich und etwas fade, sind aber nicht giftig. In Norwegen wird aus dem Saft unter Zusatz von Zucker Wein hergestellt.

Besenheide, Heidekraut *Calluna vulgaris* (Abb. oben links)

Die Besenheide ist weit verbreitet und wächst gesellig auf eher trockenen, sandig-steinigen, sauren Böden. Ihr Lebensraum sind die Heidegebiete, Magerweiden, lichte Kiefern- und Eichenwälder, aber auch Moore,
vor allem, wenn diese trockengelegt worden sind. Der Zwergstrauch
wird bis zu 60 cm hoch. Die Zweige sind dicht mit linealisch-lanzettlichen
Blättchen besetzt, die dachziegelartig in 4 Zeilen angeordnet sind. Die
Blätter sind insofern bemerkenswert, als auf ihrer Unterseite eine von
Haaren umstandene Höhlung in Längsrichtung ausgebildet ist, in die
auch die Spaltöffnungen münden. Mit Hilfe dieser sogenannten Rollblät-
ter wird die Verdunstung herabgesetzt – eine Anpassung an trockene
Standorte. Im Juli/August blüht die Pflanze, und dann ist ein Besuch in
der Lüneburger Heide besonders lohnenswert: Die ganze Landschaft ist
jetzt rosa überhaucht.

Glockenheide *Erica tetralix* (Abb. oben rechts)

Heidemoore sind auch der Lebensraum der Glockenheide, die man oft
zusammen mit der Besenheide antrifft. Beide Arten sind aber leicht zu
unterscheiden. Die dünnästige Glockenheide wird bis zu 70 cm hoch.
Ihre aufrechten, behaarten Zweige sind dicht mit wintergrünen, nadelför-
migen Blättchen besetzt, die nur wenige Millimeter lang werden und in
drei- bis vierzähligen Wirteln stehen. Ihre Ränder sind nach unten eingerollt. Wenn die Glockenheide in der Zeit zwischen Juni und September
blüht, erkennt man leicht den Unterschied zur Besenheide: Die Blüten
haben zwar die gleiche rötliche Färbung, aber die 8 Staubblätter sind
eingeschlossen in eine krug- oder eiförmige Krone. Der Kelch ist etwa
ein Drittel so lang wie die Blumenkrone. Die Blüten stehen in quirligen
Trauben zusammengefaßt. In Deutschland findet man die Glockenheide
mehr im Norden und Nordwesten; im Süden gibt es nur noch vereinzelte
Vorkommen.

Schwarze Krähenbeere *Empetrum nigrum* (Abb. unten)

Der reich verästelte Zwergstrauch zeigt flaumig behaarte, dicht beblät-
terte Zweige. Die immergrünen, glänzenden Blätter werden nur 5 mm
lang und 1 mm breit. Die Krähenbeere blüht im April/Mai; die Blüten sind
aber sehr unscheinbar. Auffälliger sind die kugeligen, schwarzen Früchte. Die Pflanze wächst in Kiefernmooren, Zwischenmooren und Zwergstrauchheiden. Sie ist zirkumpolar verbreitet.

Besenginster *Sarothamnus scoparius*

Der Besenginster wird mit 0,50 bis 2 m Höhe wesentlich größer als die beschriebenen Zwergsträucher. Er ist der Brahmbusch aus den Heideliedern von Hermann Löns. Die Stengel des Besenginsters sind grün und gerillt. Sie tragen nur relativ wenige Blätter. Die basalen Blätter sind dreizählig, die anderen nur einfach; oft fallen sie ab. Besonders schön ist dieser Strauch, wenn er im Mai/Juni in Blüte steht. Die großen Blüten sind lebhaft gelb gefärbt.

Der Besenginster gehört nun zur Familie der Schmetterlingsblütler *(Fabaceae),* und seine Blüten zeigen den typischen Bau der ganzen Gruppe. Sie sind zweiseitig-symmetrisch gebaut, d.h. man kann sie in 2 spiegelbildliche Hälften zerlegen. Die Blüte setzt sich zusammen aus dem fünfzipfeligen Kelch und der Krone, die aus 5 Blütenblättern besteht. Das obere Kronblatt ist besonders auffällig gebaut; man nennt es Fahne. Die beiden seitlich angeordneten Blütenblätter sind kleiner; sie heißen Flügel. Die beiden unteren Kronblätter sind verwachsen und bilden das sogenannte Schiffchen. Die 10 Staubblätter sind am unteren Ende mehr oder weniger miteinander verwachsen.

Die Blüten des Ginsters haben einen interessanten Mechanismus entwickelt, um die Bestäubung zu sichern. Wenn sich ein Insekt auf Schiffchen und Flügeln niederläßt, schnellen Stempel und Staubblätter aus ihrer Hülle und streuen Pollen aus, bzw. die Narbe liegt frei und kann Pollen auffangen. Diesen Mechanismus sollte man einmal bei einer Wanderung »per Hand« auslösen.

Man findet den Besenginster vor allem auf Sandboden, in Heidegebieten und in lichten Kiefernwäldern, aber auch auf Ödland und an anderen Stellen. Da die Blattfläche der Pflanze insgesamt sehr klein ist, ist auch die Verdunstung gering, und der Strauch kann an trockenen Stellen gedeihen. Die notwendige Fotosynthese stellt die Pflanze aber dadurch sicher, daß in den Stengeln Chlorophyll eingelagert ist. Der Besenginster kann also mit seinen Stengeln Fotosynthese treiben.

Neben dem Besenginster trifft man in Heidegebieten noch weitere gelb blühende Sträucher an, die sich bei näherem Hinsehen als Schmetterlingsblütler entpuppen. So kann man etwa mit verschiedenen Ginsterarten aus der Gattung *Genista* rechnen. Hier ziehe man ein entsprechendes Bestimmungsbuch zu Rate.

Gelbe Teichrose   *Nuphar lutea*

Die Teichrose gehört zur Familie der Seerosengewächse *(Nymphaea-ceae)* und ist von Europa durch das mittlere Asien bis nach Sibirien verbreitet. Man begegnet ihr in der Verlandungszone stehender Gewässer und auf stehenden oder sehr langsam fließenden Gewässern mit Schlammgrund. Sie ist wie die Weiße Seerose *(Nymphaea alba)* eine typische Schwimmblattpflanze, die noch bei einer Wassertiefe von 2 m wachsen kann. Der Wurzelstock kann 3 m lang und 10 cm dick werden. Er trägt Büschel von Wurzeln, die die Pflanze im Untergrund verankern und mit Nährstoffen versorgen. Außerdem sieht man daran zahlreiche Blattnarben. An der Spitze des Wurzelstockes entwickeln sich die Blätter, zuerst die untergetauchten sogenannten Salatblätter, dann die langgestielten Blätter, die auf der Wasseroberfläche schwimmen. In der Zeit zwischen Mai und September kann man die Teichrose blühend antreffen.

Trollblume   *Trollius europaeus*

Die Trollblume gehört zur Familie der Hahnenfußgewächse *(Ranuncula-ceae),* und auf den ersten Blick könnte man sie tatsächlich mit einer der gelb blühenden Hahnenfußarten verwechseln, die oft ganze Wiesenflächen färben. Die Pflanze ist aber stattlicher und wird 10 bis 50 cm hoch. Die Blätter sind auf der Oberseite dunkler grün gefärbt als auf der Unterseite. Sie sind handförmig geteilt. Die grundständigen Blätter weisen lange Stiele auf, die höher stehenden sitzen dem Stengel an. Ein weiteres gutes Merkmal der Trollblume sind die großen kugeligen Blüten. 5 bis 15 goldgelbe Blütenblätter schließen die Staub- und Fruchtblätter ein. Die Pflanze blüht im Mai/Juni. Sie wächst stets gesellig, und oft sind Quellsümpfe und moorige Wiesen von ihr gelb gefärbt. In den Alpen kommt die Trollblume bis in 2400 m Höhe vor. Exemplare aus dem Alpenvorland sind insgesamt deutlich stattlicher als solche der Höhenlagen.

Rundblättriger Sonnentau   *Drosera rotundifolia*

Eines der interessantesten Phänomene im Pflanzenreich ist die sogenannte Carnivorie. Damit ist gemeint, daß es in verschiedenen Familien Pflanzenarten gibt, die zwar in der Lage sind, Fotosynthese zu betreiben und sich damit die zum Gedeihen notwendigen Nährstoffe zu beschaffen, die aber zusätzliche Einrichtungen besitzen, mit denen sie kleine Tiere anlocken, fangen und verdauen. Diese spezialisierten Pflanzen haben nun ganz unterschiedliche Mechanismen ausgebildet. Die Sonnentau-Arten besitzen einen anderen als etwa das Fettkraut (*Pinguicula* spec., S. 46) oder der Wasserschlauch (*Utricularia* spec., S. 46). Die Sonnentau-Arten verfügen über raffinierte Klebfallen, die nichts anderes sind als spezialisierte Blätter. Auf der Blattfläche und an ihrem Rand stehen zahlreiche Tentakel. Sie tragen am äußeren Ende kleine Drüsenköpfchen, die ein klebriges Sekret ausscheiden (Abb. oben). Wird nun ein Insekt durch das Glitzern der Tropfen und die zusätzlich ausgeschiedenen Duftstoffe angelockt, bleibt es bald kleben. Die benachbarten Tentakel krümmen sich – durch die Bewegungen des Tieres gereizt – ebenfalls ein, und das Insekt wird vollkommen eingeschlossen. Dann kann die Verdauung beginnen. Ist diese abgeschlossen, öffnen sich die Blätter wieder und sind erneut fangbereit. Nur einige Reste zeugen dann noch von der vorangegangenen »Mahlzeit«. Diese Insectivorie stellt eine Möglichkeit dar, auf armen Böden – wie man sie im Hochmoor findet – zusätzliche Nährstoffe zu erschließen. Die gefangenen Insekten bedeuten für den Sonnentau vor allem eine wichtige Stickstoffquelle.

Wie bereits angedeutet, findet man den Sonnentau im Hochmoor, aber auch in Zwischen- und Flachmooren. Man muß aber schon nach dieser Pflanze suchen. Sie liegt nämlich wie eine Rosette dem Boden an (Abb. unten). Die Blätter werden nur wenige Zentimeter lang, der die Blüten tragende Stengel wird maximal 20 cm hoch, je nach Art, die man vor sich hat. Den Rundblättrigen Sonnentau kann man leicht erkennen, denn seine Blätter sind rund, und der Blütenstand ist wesentlich länger als die Blätter. Die beiden weiteren bei uns vorkommenden Arten – der Langblättrige Sonnentau *(Drosera anglica)* und der Mittlere Sonnentau *(Drosera intermedia)* sind schon schwerer auseinanderzuhalten. Beim Langblättrigen Sonnentau werden die Blätter 10 bis 40 mm lang, der Blütenstand ist 2- bis 3mal länger als die Blätter, und der Stiel entspringt in der Mitte der Rosette. Beim Mittleren Sonnentau werden die Blätter 7 bis 10 mm lang, der Blütenstand wird nicht viel länger als die Blätter, und der Stiel entspringt seitlich aus der Rosette und steigt bogig auf. Alle 3 Sonnentau-Arten blühen in der Zeit zwischen Juni und August.

Sumpfherzblatt *Parnassia palustris*   (Abb. oben links)

Besonders hübsche Blüten besitzt das Sumpfherzblatt, das zerstreut – dann aber gesellig wachsend – auf Flach- und Quellmooren, auf Moorwiesen und in Magerrasen auf Kalk vorkommt. Die Blüten stehen einzeln an den Enden etwa 20 cm langer Stiele. Sie sind weiß gefärbt, zeigen grünliche Adern und haben einen Durchmesser von bis zu 3 cm. Im Mittelpunkt der 5 Kronblätter stehen die 5 Staubblätter und weiter 5 drüsig gefranste Staminodien, umgewandelte Staubblätter, die der Anlockung von bestäubenden Insekten dienen. Nacheinander entlassen die Staubblätter den Pollen, und erst danach erscheint der Fruchtknoten mit dem kurzen Griffel und den 4 Narben. Auf diese Weise wird Fremdbestäubung gesichert. Das Herzblatt blüht im Juli/August.

Sumpfblutauge *Comarum palustre*   (Abb. oben rechts)

Eine in Flach-, Zwischen- und Hochmooren weit verbreitete Pflanze ist das Sumpfblutauge, eine Staude aus der Familie der Rosengewächse *(Rosaceae)*. Man trifft sie darüber hinaus auch in schlammigen Moorwäldern an, in aufgelassenen Torfstichen und an ähnlichen Stellen. Die Pflanze ist mit einer verholzten, bis zu 1 m langen Grundachse im Boden verankert. Während die hinteren Teile des Wurzelstocks absterben, wächst er vorne weiter, bewurzelt sich in Abständen und bildet Triebe aus. Einige der Triebe tragen nur Blätter, andere tragen die Blütenstände. Die Blätter sind fünf- oder siebenzählig gefiedert. Die meist sitzenden Blättchen sind breit-lanzettlich geformt, ihr Rand ist grob gesägt. Sie sind blaugrün gefärbt. Die Blüten öffnen sich im Juni/Juli. Sie stehen zu Trugdolden gehäuft. Auffällig sind die trüb purpurfarbenen Kelchblätter. Kaum halb so lang sind die dunkelroten Kronblätter. Bei dieser Pflanze übernimmt also vor allem der Kelch die Anlockung von Insekten.

Bachnelkenwurz *Geum rivale*   (Abb. unten)

Ähnlich gefärbte Blüten wie das Blutauge hat auch der Bachnelkenwurz. Der Kelch ist braunrot gefärbt und liegt der Krone an. Die Kronblätter sind außen rötlich und innen gelblich gefärbt. Die nickenden Blüten stehen zu mehreren an den Enden 20 bis 50 cm langer Stiele. Die grundständigen Blätter sind lang gestielt und unterbrochen gefiedert. Die Endfiedern sind sehr groß. Der Bachnelkenwurz wächst auf Moorwiesen, Naßwiesen, an Quellen und Bachufern und blüht zwischen April und Juni.

Echtes Mädesüß *Filipendula ulmaria* (Abb. oben links)

Das Mädesüß ist ein Rosengewächs und kommt an relativ feuchten Standorten vor, auf feuchten bis nassen Wiesen, in Verlandungswiesen, Quellsümpfen und an Grabenrändern. Der braungrüne Sproß wird bis zu 1,50 m hoch. Er wächst aus einem überdauernden Wurzelstock hervor. Am Sproß sitzen die gefiederten Blätter, die jeweils aus mehreren doppelt-gesägten Fiederblättchen zusammengesetzt sind, die etwa 3 cm lang werden. Die Blüten stehen in einer auffälligen Trugdolde zusammengefaßt. Die Einzelblüten sind sehr klein; die Blütenblätter werden nur wenige Millimeter lang. Das Mädesüß blüht in der Zeit zwischen Juni und August. Es ist fast über ganz Europa und Asien verbreitet.

Blutweiderich *Lythrum salicaria* (Abb. oben rechts)

Dem Blutweiderich, einer Art aus der Familie der Weiderichgewächse *(Lythraceae),* begegnet man recht häufig. Die Pflanze braucht feuchten Boden. Sie kommt in der Verlandungszone stehender Gewässer, an Grabenrändern und in staudenreichen Naß- und Moorwiesen vor. Der untere Teil des bis 1,20 m hohen Sprosses ist mit ungestielten, lanzettlichen Blättern besetzt, die meist gegenständig, aber auch in Dreierquirlen angeordnet sind. Auffällig ist die Blütenähre. Die Einzelblüten sind kräftig rot gefärbt. Die Blütenblätter werden bis zu 7 mm lang. Der Blutweiderich besiedelt ebene Lagen bis hin zu mittleren Gebirgslagen.

Sumpfveilchen *Viola palustris* (Abb. unten)

Die Familie der Veilchengewächse *(Violaceae)* ist in Mitteleuropa mit nur 1 Gattung vertreten, der Gattung *Viola.* Ihre einzelnen Vertreter kommen in ganz unterschiedlichen Lebensräumen vor. Dem Sumpfveilchen begegnet man ziemlich häufig auf sauren Flachmooren, in Kleinseggenbeständen der Verlandungszonen und an ähnlichen Stellen. Von der Ebene bis in etwa 1900 m Höhe kann man die Pflanze antreffen. 2 bis 6, meist aber 4 Blätter stehen in rosettenartiger Anordnung. Sie sind nierenförmig, glänzend gelbgrün gefärbt und am Rand gekerbt. Die Blüten mit den 5 Kronblättern werden 1,5 cm groß und liegen im Farbton zwischen rötlich-lila und weiß. Das untere Kronblatt ist violett geadert. Das Sumpfveilchen blüht im Juni/Juli.

Diptam   *Dictamnus albus*

Der Diptam wird 0,50 bis 1 m hoch. Die Staude hat ihren Verbreitungs-schwerpunkt im südlichen Europa und kommt bei uns nur an sonnigen, trockenen Stellen im Süden vor. Hier gibt es aber viele – oft geschützte – Gebiete mit Steppenheidevegetation, und in diese Pflanzenformation gehört der Diptam. Die großen Blätter sind unpaarig sieben- bis neun-zählig gefiedert. Sie sehen denen der Esche *(Fraxinus excelsior)* ähn-lich. Die Blüten stehen in langen Trauben zusammen. Sie sind ausge-sprochen schön, und man sollte sie einmal in Ruhe betrachten, wenn man das Glück hat, den Diptam gefunden zu haben. Die Blüte ist zwei-seitig-symmetrisch gebaut. Die 5 Kronblätter sind rötlich, selten auch weiß gefärbt, dabei aber kontrastreich dunkelrot geadert. Aus der Blüte ragen die langen Staubblätter und der Griffel heraus. Die Blüten sitzen auf drüsigen Stielen. Zerreibt man Teile der Pflanze, riecht man einen zi-tronenähnlichen Duft. Bei starker Sonneneinstrahlung werden die in der Pflanze enthaltenen ätherischen Öle aber auch verdunstet, sogar so stark, daß man sie entzünden kann. Wenn das auch nicht immer gelin-gen mag, so wird man den Diptam sicher schon von weitem riechen.

Blutroter Storchschnabel   *Geranium sanguineum*

Eine sehr artenreiche Gattung ist *Geranium*. Verschiedene Arten kom-men bei uns vor, und zwar in ganz unterschiedlichen Lebensräumen. So findet man in den Fettwiesen den blauvioletten Wiesenstorchschnabel *(Geranium pratense)* oder in Laub- und Nadelwäldern, an Mauern und ähnlichen Stellen den rosa blühenden Stinkenden Storchschnabel *(Ge-ranium robertianum)*. Besitzt die erste Form Blüten mit einem Durch-messer von bis zu 4 cm, so besitzt die zweite nur solche von bis zu 1,5 cm.
Eine stattliche Form mit ebenfalls großen und auffälligen Blüten ist der Blutrote Storchschnabel. Der abstehend behaarte Stengel erhebt sich 20 bis 40 cm hoch. Die Blätter sind tief in 5 bis 7 linealische Abschnitte eingeteilt. Dieser Storchschnabel blüht in der Zeit zwischen Mai und September. Seine Blüten sind tiefrot gefärbt. Sie sitzen einzeln an den Enden der Stiele. Man findet die Pflanze von der Ebene bis in mittlere Gebirgslagen. Im nördlichen Deutschland sucht man meist vergebens nach ihr; im Süden ist die Pflanze häufiger. Man findet sie auf trockenen Steppenheidehängen, in Trockengebüschen und in lichten Eichen- und Kiefernwäldern. Die Pflanze ist sehr wärmeliebend.

Wassernabel *Hydrocotyle vulgaris*

Es gibt nicht sehr viele Pflanzen, die Blätter haben wie der Wassernabel. Wie der Name schon sagt, sitzen die Blattstiele nicht am Rand der kreisförmigen, gekerbten Blätter, sondern ungefähr in der Blattmitte. Je nach Standort kann der Stiel unterschiedlich kräftig ausgebildet sein. Wächst der Wassernabel auf trockenem Untergrund, dann ist der Blattstiel kurz, dick und fest; er muß ja nun die Pflanze in der Luft halten. Wächst der Wassernabel im flachen Wasser, dann ist der Blattstiel länger, dünner und biegsam; jetzt trägt das umgebende Medium Wasser das Blatt. Systematisch ist die Pflanze in die Familie der Doldenblütler *(Apiaceae)* einzureihen, d. h. die Blüten stehen in einer Dolde zusammengefaßt, die hier aber nur aus 3 bis 5 kleinen, weißen Blüten besteht. Insgesamt wird der Wassernabel 5 bis 20 cm hoch. Er blüht im Juli/August. Sein Lebensraum sind Flachmoore, Sumpf- und Moorwiesen, aber auch die Ränder von Schlenken und Gräben. Im Norden unseres Landes findet man die Pflanze recht häufig, im Süden dagegen seltener.

Mehlprimel *Primula farinosa*

Primeln sind ausdauernde Pflanzen mit kräftigen Wurzelstöcken. Mit Hilfe dieser Wurzelstöcke überwintern sie, und die darin gespeicherten Nährstoffe ermöglichen auch die frühzeitige Ausbildung der Blätter, die in einer grundständigen Rosette angeordnet sind. Die Blätter sind verkehrt-eiförmig bis länglich. Sie sind glatt oder nur schwach runzlig, kahl und auf der Unterseite mehlig bepudert (Name!). In der Mitte der Blattrosette wird der Schaft emporgeschoben, der 10 bis 15 cm lang werden kann. Am Ende stehen doldig gehäuft die rotlila oder hellpurpurn gefärbten Blüten. Sie sind aus 5 Kron- und 5 Staubblättern zusammengesetzt. Der Schlund erscheint intensiv gelb. Die Kelchblätter sind wie die Blattunterseiten mehlig bestäubt. Die Mehlprimel blüht in der Zeit von Mai bis Juli.

Sumpfige Wiesen, Flachmoore, Quell- und Wiesenmoore sind die Stellen, an denen man die Pflanze treffen kann. Diese Primelart ist aber selten geworden, und vor allem ist sie nicht gleichmäßig über Mitteleuropa verbreitet. Man kann 2 Verbreitungsschwerpunkte angeben, einen mehr nördlichen mit Zentrum Skandinavien und einen mehr südlichen mit Zentrum Alpenraum. In Deutschland wird man der Primel also am ehesten in den Alpen und im weiteren Alpenvorland begegnen.

Fieberklee *Menyanthes trifoliata* (Abb. oben)

Auf den ersten Blick könnte man diese Pflanze tatsächlich – wie der Name suggeriert – für einen Klee halten. Die dreizähligen Blätter erinnern sehr daran. Systematisch gehört der Fieberklee aber in die Familie der Enziangewächse *(Gentianaceae)*. Die überdauernde Grundachse kriecht im Boden entlang und geht am Ende in einen 15 bis 30 cm hohen Stengel über. Die kahlen Blätter sind wechselständig angeordnet. Sie weisen einen langen, am Grund scheidigen Stiel auf. Im Mai/Juni blüht der Fieberklee. Die rötlich-weißen Blüten sind in einer aufrechten Traube zusammengefaßt. Die Einzelblüten sind fünfzählig: Die 5 oft nach hinten geschlagenen Kronblätter werden von 5 Kelchzipfeln eingehüllt. Auf der Innenseite der Kronblätter stehen lange, saftreiche Haare. Die Staubblätter tragen dunkelviolette Staubbeutel. Man findet den Fieberklee in Flach- und Quellmooren, in der Verlandungszone von Weihern und Seen und in Hochmoorschlenken. Er wächst oft in herdenartigen Beständen.

Gemeiner Gilbweiderich *Lysimachia vulgaris* (Abb. unten links)

Der Gilbweiderich ist ein Primelgewächs und wird bis zu 1,50 m hoch. Er fällt durch seinen dichten Blütenstand sofort auf. Eine Vielzahl gelber Blüten ist zu einer Rispe zusammengefaßt. Die bis zu 14 cm langen Blätter sind länglich-eiförmig. Sie sind entweder gegenständig oder zu dritt oder viert in Quirlen angeordnet. Die Pflanze blüht von Juni bis August. Sie wächst auf feuchten Wiesen, an Bachrändern und Quellaustritten.

Tarant *Swertia perennis* (Abb. unten rechts)

Der Tarant ist ein seltenes Enziangewächs, das auf Flach- und Quellmoorflächen vorkommt. Die ausdauernde Pflanze wird 15 bis 60 cm hoch. An dem aufrechten, nicht verzweigten Stengel sitzen im unteren Abschnitt eiförmig-elliptische Blätter, die gestielt sind. Im oberen Stengelbereich sind sie lanzettlich, ungestielt oder umfassen den Stengel sogar halb. Der Tarant blüht in der Zeit zwischen Juli und September. An den Enden der Stengel erscheinen traubige Blütenstände aus fünfzähligen Einzelblüten, die einen Durchmesser von 2 bis 3 cm haben. Es kommen stahlblaue, aber auch schmutzig-violette oder gelbgrüne Exemplare vor. Zwischen den punktierten Blütenblättern stehen die auffällig langen Staubblätter. Zuerst blühen die obersten Blüten auf, dann nacheinander auch die tiefer angeordneten. Auch die Staubblätter der Einzelblüten reifen nacheinander.

Lungenenzian   *Gentiana pneumonanthe*   (Abb. oben links)

Die meist blau blühenden Enziane wird wohl jeder Naturfreund von Wanderungen in den Alpen her kennen. Aber wenn auch die Berge Schwerpunkt der Verbreitung der Enziane sind, so finden sich doch verschiedene Arten auch im Flachland. 2 Arten begegnet man in Moorgebieten. Der Lungenenzian ist von beiden Arten die häufigere. Er kommt auf Moorwiesen, Flachmooren und feuchten Heiden von der Ebene bis in Lagen um 850 m vor. Die ausdauernde Pflanze wird 15 bis 40 cm hoch. Ihr fehlt die grundständige Blattrosette, die für viele andere Enzianarten typisch ist. Vielmehr ist der kahle, stumpfkantige Stengel dicht beblättert. Die Blätter haben eine linealisch-lanzettliche Form. In der Zeit zwischen Juli und September blüht der Lungenenzian. Die 4 bis 5 cm langen, fünfzähnigen Blüten stehen zu mehreren gehäuft an den Enden der Sprosse. Im Inneren der Blütenkelche sind 5 grünliche Streifen sichtbar.

Schlauchenzian   *Gentiana utriculosa*   (Abb. oben rechts)

Gegenüber dem Lungenenzian ist der Schlauchenzian nur einjährig. Der aufrechte Stengel wird 8 bis 15, manchmal auch 25 cm lang. Er ist kantig und kahl und mehr oder weniger stark verzweigt. Bei dieser Art ist eine grundständige Blattrosette ausgebildet. Die Blätter werden 6 bis 10 mm lang und verwelken bald. Die am Stengel sitzenden Blätter sind etwas kürzer; sie haben eine länglich-eiförmige bis spitz-lanzettliche Gestalt. Auch diese Enzianart blüht kräftig blau. Die Blüten stehen gehäuft und werden 1 bis 2 cm lang. Auffälligstes Merkmal dieses Enzians sind aber nicht Farbe und Form der Blüten, sondern die besondere Ausbildung des Kelches, der hier länglich geformt ist und breit geflügelte Kanten besitzt. Oft erscheint der Kelch auch regelrecht aufgeblasen (Name!). Blühende Pflanzen trifft man von Juni bis August an. Man findet diese seltene Enzianart auf Flach- und Quellmooren und auf Moorwiesen.

Sumpfläusekraut   *Pedicularis palustris*   (Abb. unten)

Diese Pflanze aus der Familie der Rachenblütler *(Scrophulariaceae)* gehört einer artenreichen Gattung an, die mit verschiedenen Vertretern auch im Moor vorkommt. Das Sumpfläusekraut ist hier die häufigste Art. Es wird 20 bis 30 cm hoch, manchmal höher. Der Stengel ist verzweigt und trägt die typischen, fein fiederteiligen Blätter. Die rötlichen Blüten sitzen in den Achseln der oberen Blätter. Die Blumenkrone wird bis 22 mm lang. Das Sumpfläusekraut blüht zwischen Mai und Juli.

Gewöhnliches Fettkraut   *Pinguicula vulgaris*   (Abb. oben)

Das Fettkraut ist nach dem Sonnentau die zweite Pflanze, die ihren Nährstoffhaushalt dadurch ergänzt, daß sie – hier ebenfalls mit Hilfe der Blätter – kleine Tiere fängt und verdaut. Die Blätter sind in einer dem Untergrund aufliegenden Rosette angeordnet und dicht mit klebrigen Haaren besetzt. Wenn ein Insekt auf dem Blatt landet oder darüber hinweg kriecht, bleibt es kleben. Die Blätter rollen sich dann von den Rändern her ein, umschließen die Beute, und ausgeschiedene Verdauungssekrete zersetzen das gefangene Tier. Später entrollen sich die Blätter wieder. Man sieht dann auf der Blattfläche nicht mehr als ein paar unverdauliche Hartteile. Das Gewöhnliche Fettkraut wird 5 bis 15 cm hoch. Am oberen Ende des Stengels sitzt eine blauviolette Blüte mit einem langen Sporn. In den Alpen kann man einer weiteren Art begegnen, dem Alpenfettkraut *(Pinguicula alpina)*. Hier sind die Blüten gelblich-weiß gefärbt; sie weisen einen kegelförmigen kurzen Sporn auf. Beiden Arten begegnet man in Flach- und Quellmooren und in Rieselfluren.

Gemeiner Wasserschlauch   *Utricularia vulgaris*

Die Gattung *Utricularia* ist in Mitteleuropa mit 6 Arten vertreten, die wie der Sonnentau und das Fettkraut fleischfressend sind. Allerdings ist der Mechanismus des Beutefangs ein völlig anderer als bei den beiden schon vorgestellten Gattungen. Das liegt daran, daß die Wasserschlaucharten alle Unterwasserpflanzen sind. Sie gedeihen in stehenden Gewässern, wie Gräben, Altwässern, vor allem aber in sumpfigmoorigem Wasser und besonders in aufgelassenen Torfstichen. Der Gemeine Wasserschlauch ist eine Art, die frei in Wasser schwimmt; dasselbe gilt für den Übersehenen Wasserschlauch *(Utricularia neglecta)*. Der Kleine Wasserschlauch *(Utricularia minor)* und die 3 übrigen Arten sind dagegen mit bleichen Erdsprossen im Untergrund verankert.

Wie bei vielen anderen Wasserpflanzen, so sind auch beim Wasserschlauch die Blätter fein zerteilt. An ihnen entdeckt man bei genauem Hinsehen kleine, blasige Gebilde (Abb. unten links). Mit diesen macht die Pflanze Beute. Die Fangblasen funktionieren so, daß in ihnen zunächst ein Unterdruck erzeugt wird. An der vorderen jetzt verschlossenen Öffnung stehen einige Borsten, die bei Berührung – etwa durch einen Wasserfloh – die Klappe aufspringen lassen. Dann wird der Unterdruck wirksam, und der Kleinkrebs wird in die Fangblase hineingesogen.

Alle Wasserschlaucharten haben auffällige gelbe Blüten (Abb. unten rechts). Die Blütezeit liegt zwischen Juni und September.

Sumpfgreiskraut *Senecio paludosus*

Diese Pflanze gehört in eine sehr umfangreiche Pflanzenfamilie, die der Korbblütler *(Asteraceae)*. Um diese Gruppe näher kennenzulernen, schaue man sich zunächst den Blütenbau an. Da gibt es Arten, die wie das Gänseblümchen *(Bellis perennis)* oder die Wiesenmargerite *(Chrysanthemum leucanthemum)* ein Blütenköpfchen besitzen, das aus – hier gelben – inneren Röhrenblüten und – hier weißen – äußeren Zungenblüten zusammengesetzt ist. Beim Löwenzahn *(Taraxacum officinale)* dagegen sind alle Blüten Zungenblüten. Diesen bekannten Formen stehen jeweils viele weitere Gruppenmitglieder zur Seite.

Das Sumpfgreiskraut ist ein sehr auffälliger Korbblütler. Die Pflanze wird 0,80 bis 1,80 m hoch. Der hohle Stengel trägt in wechselständiger Anordnung lineal-lanzettliche Blätter, deren Rand gesägt ist; die Zähne weisen in Richtung Blattspitze. Der Stengel trägt zur Blütezeit eine Vielzahl gelber Blütenköpfchen, meist 12 bis 16. Sowohl die Zungen- wie die Röhrenblüten sind hellgelb gefärbt. Die Pflanze blüht zwischen Juni und August. Man findet sie in Großseggen- und Röhrichtbeständen, auf feuchten, moorigen Wiesen und in lichten Bruchwäldern bis in etwa 1600 m Höhe.

Arnika *Arnica montana*

Die Arnika ist wie das Sumpfgreiskraut ein Korbblütler. Sie wird 20 bis 60 cm hoch. Die grundständige Rosette setzt sich aus ganzrandigen, meist fünfnervigen Blättern zusammen. In der Mitte der Rosette erhebt sich der Blütenstengel, der 1 oder 2 gegenständige Blattpaare trägt. Auch dieser Korbblütler gehört in die Gruppe, die Röhren- und Zungenblüten aufweist. Sie sind hier orangegelb gefärbt. Die Köpfe haben einen Durchmesser von 5 bis 8 cm. Die Pflanze blüht im Juli/August. Modrige, humose Böden werden besiedelt, aber auch Torf. Die Arnika kommt zudem auch auf mageren Rasen und Weiden vor. In den Alpen begegnet man ihr bis in Höhen um 2100 m.

Die Arnika ist eine alte Heilpflanze, die so stark genutzt wurde, daß sie mancherorts selten geworden ist. Sowohl die unterirdischen Pflanzenteile wie auch die Blüten werden verwendet. Die Blüten enthalten vor allem den Bitterstoff Arnicin, daneben aber noch ätherische Öle und Gerbstoffe. Bei Verrenkungen, Verstauchungen, Quetschungen, Rheuma oder Hexenschuß wird Arnikatinktur als Hausmittel gerne eingesetzt. Das weite Feld der Pflanzenheilkunde schien lange Zeit immer mehr in Vergessenheit zu geraten; heute gewinnt es wieder stärker an Interesse.

Blumenbinse   *Scheuchzeria palustris*   (Abb. oben links)

Mit der Blumenbinse und den meisten im weiteren besprochenen Pflanzen lernen wir eine zweite große Untergruppe der bedecktsamigen Blütenpflanzen kennen, die Einkeimblättrigen *(Monocotyledoneae)*. Man kann die Gruppe der einkeimblättrigen Pflanzen kurz an folgenden Kennzeichen festmachen: Sie haben Keimlinge mit nur einem Keimblatt. Die Blätter sind meist ganzrandig und haben parallele Adern. Die Blüten sind meist aus dreizähligen Kreisen aufgebaut.

Die genannten Merkmale treffen auch auf die unscheinbare Blumenbinse zu. Diese typische Zwischen- und Hochmoorpflanze wird 10 bis 20 cm hoch. Mit einem bis zu 50 cm langen Wurzelstock verankert sie sich im oft schwankenden Boden. Die schmalen Blätter sind im basalen Teil scheidig ausgebildet. Die unscheinbar gelbgrünen Blüten setzen sich aus 6 nur 3 mm langen Blütenblättern zusammen. 3 bis 10 Blüten bilden eine lockere Traube. Die Pflanze blüht im Mai/Juni.

Gewöhnliche Simsenlilie   *Tofieldia calyculata*   (oben rechts)

Die Simsenlilie ist eine unscheinbare, kalkliebende Pflanze, die man auf Flach- und Quellmooren finden kann. Sie wird 10 bis 30 cm hoch. Die gelblichen Blüten bilden eine 2 bis 8 cm lange Traube. Die Pflanze blüht in der Zeit zwischen Juli und August.

Beinbrech   *Narthecium ossifragum*   (Abb. unten links)

Dem Beinbrech – wie die Simsenlilie ein Liliengewächs (Familie der *Liliaceae*) – begegnet man am ehesten in den nordwestdeutschen Heide- und Hochmooren. Er bildet oft dichte Bestände und überdauert mehrere Jahre mit einem kriechenden Wurzelstock. Die bis zu 30 cm langen Blätter sind schwertförmig. Sie werden überragt vom blütentragenden Stengel, der bis 40 cm hoch wird. Die gelben Blüten stehen in einer 6 bis 7 cm langen Traube angeordnet. Auffällig sind die wollig behaarten Staubblätter mit den ziegelroten Narben. Die Pflanze blüht im Juli/August.

Sumpfsiegwurz   *Gladiolus palustris*   (Abb. unten rechts)

Die selten gewordene Pflanze trifft man auf feuchten, moorigen Wiesen an. Sie überdauert mit einer Knolle von etwa 2 cm Durchmesser. Der

Sibirische Schwertlilie *Iris sibirica*

Durch die landwirtschaftliche Erschließung flachmoorartig ausgebildeter Wiesen ist die schöne Sibirische Schwertlilie heute selten geworden. Im Norden und Nordwesten fehlt sie ohnehin ganz. Der Naturfreund wird also in Süddeutschland nach der Pflanze suchen müssen. Beispielsweise findet er sie hier in einigen Uferbereichen des Bodensees, die als Naturschutzgebiete ausgewiesen sind. Im Mai und Juni kann man die Pflanze dort zu Tausenden beobachten. Sie wächst nämlich stets gesellig. Diese Schwertlilie wird 30 bis 60 cm hoch. Der Stengel ist hohl; die Blätter werden nur 2 bis 8 mm breit. Die blauen Blüten stehen meist zu zweit, aber da der Stengel verzweigt ist, trägt er insgesamt meist mehrere Blüten, die blau gefärbt sind. Die äußeren 3 Blütenblätter sind zurückgeschlagen, innen stehen 3 aufrecht. So kommt der immer wieder faszinierende Blütenbau der Schwertlilien zustande. Als Bestäuber kann man meist Hummeln oder Schwebfliegen beobachten.

In Wiesensümpfen, an Gräben und Flußufern und in der Verlandungszone von Weihern und Seen begegnet man einer weiteren Art, der Gelben Schwertlilie *(Iris pseudacorus)*. Sie besitzt einen dicken, überdauernden Wurzelstock, der meist noch verzweigt ist, so daß die Pflanze horstartig wächst. Ihre bis zu 1 m langen, säbelförmigen Blätter werden 1 bis 3 cm breit. In der Mitte des Horstes werden im Mai/Juni die Blütenstengel emporgeschoben. Daran sitzen krautige Hochblätter. Die langgestielten, großen gelben Blüten stehen in einer kleinen Traube, die oben mit einer Gipfelblüte abschließt.

(Fortsetzung des Textes von S. 50)
Stengel wird bis zu 60 cm hoch. Er trägt 2 bis 3 schwertförmige, 4 bis 9 mm breite Blätter. Die einseitswendige Ähre besteht aus 2 bis 5 roten Einzelblüten. Die Sumpfsiegwurz blüht zwischen Mai und Juli.

Knäuelbinse *Juncus conglomeratus*

Auf den ersten Blick wird man die Binsen nicht so recht einordnen können und für Gräser halten. Sie sehen alle unscheinbar aus, der Stengel ist meist ohne Knoten, und die Blätter sind entweder grasartig oder stielrund ausgebildet. Die Blüten stehen zu Köpfchen, Dolden oder Rispen gehäuft. 6 Blütenhüllblätter schließen 3 oder 6 Staubblätter ein; der Stempel setzt sich aus 3 Fruchtblättern zusammen. Die Binsen bilden eine eigene Familie, die der *Juncaceae,* zu der neben der Gattung *Juncus* auch die Gattung *Luzula* (Simse) gehört. Um alle diese unscheinbaren, »grasähnlichen« einkeimblättrigen Pflanzen zu bestimmen, sollte man sich einmal eine Flora vornehmen.

Auf Moorwiesen und an Grabenrändern kann man der Knäuelbinse begegnen. Sie kommt sowohl in ebenen Lagen vor wie noch in 1100 m Höhe. Die Pflanze wächst in dichten Rasen oder Horsten. Der graugrüne Stengel ist nur am Grund beblättert. Durch ein aufrecht stehendes Hochblatt erscheint der knäuelige Blütenstand (Name!) seitenständig. Diese Binse wird 30 bis 60 cm hoch und blüht von Mai bis Juli.

Wollgras *Eriophorum*-Arten

Quellmoore, Flach- und Hochmoore sind für jeden Naturfreund interessante Lebensräume, weil er dort mit einer Vielzahl spezialisierter und selten gewordener Pflanzen rechnen kann. Die Wollgräser fallen auf einer Exkursion sofort auf. Nach der Blütezeit tragen sie weiße Köpfchen, die aus den langen Samenhaaren gebildet werden. Die Einzelblüten sind zu Ähren zusammengefaßt. Nach der Anordnung der Ähren am Stengel kann man die verschiedenen Wollgras-Arten unterscheiden. Beim Scheidigen Wollgras *(Eriophorum vaginatum)* und bei Scheuchzers Wollgras *(Eriophorum scheuchzeri)* stehen die Ähren einzeln. Beim Schmalblättrigen, Breitblättrigen und Schlanken Wollgras *(Eriophorum angustifolium, latifolium* und *gracile)* stehen die Blütenähren zu mehreren an den Enden der Stengel. Weitere Bestimmungsmerkmale sind die Form der Blattscheiden – beim Scheidigen Wollgras sind sie beispielsweise aufgeblasen – und das Vorhandensein oder Nichtvorhandensein von Ausläufern. Die Pflanzen werden bis etwa 40 cm hoch. Moorige Wiesen und Hochmoore wird man häufig zur richtigen Zeit – ab etwa Juni/Juli – mit den weißen Blütenköpfchen übersät sehen. Die Abbildung zeigt Scheuchzers Wollgras.

Segge *Carex*-Art   (Abb. oben)

Eine umfangreiche Pflanzenfamilie ist die der Sauergräser *(Cypera-ceae)*, zu denen auch die Wollgräser gehören. Und wie diese gedeihen auch fast alle anderen Sauergräser auf feuchtem Untergrund. Generell kann man Sauergräser an folgendem erkennen: Sie haben meist einen knotenlosen Stengel, der dreikantig und von Mark erfüllt ist. Die Blätter umstehen den Stengel in 3 Zeilen. Sie sind meist sehr derb. Die Staub-blätter und der Fruchtknoten stehen hinter einem häutigen Hüllblatt.

Innerhalb der Familie der Sauergräser bilden die Seggen eine sehr um-fangreiche Gattung. Man kann aber Artengruppen relativ gut gegenein-ander abgrenzen: Die einen tragen eine armblütige, endständige Ähre; die anderen tragen die Ähren zu mehreren in Köpfchen, Trauben oder Rispen angeordnet. Innerhalb der letzteren Gruppe kann man wieder Ar-ten unterscheiden, deren Ähren mehr oder weniger gleich gestaltet sind, und andere, bei denen die Ähren verschieden aussehen und ent-weder aus Staubblättern oder aus Fruchtblättern zusammengesetzt sind. Zu diesen verschiedenährigen Seggen gehört die abgebildete Stei-fe Segge *(Carex elata)*, eine Pflanze, die 0,30 bis 1 m hoch wird. Die Blät-ter werden 4 bis 5 mm breit. Die Pflanze blüht im April/Mai. Man findet sie bestandsbildend auf Flachmooren, in Erlenbrüchen und vor allem in der Verlandungszone von Seen und Weihern.

Schneide *Cladium mariscus*   (Abb. unten links)

Die Schneide wird 0,80 bis 2 m hoch und hat in den Zellen Versteifungen. Vor allem an den Blatträndern sitzt eine Vielzahl kleiner Widerhaken, die die Pflanze davor schützen, vom Vieh gefressen zu werden. Im Juni/Juli kann man dieses Sauergras an den Rändern von Weihern, in Flachmoor-tümpeln, an Quellen und Gräben blühend antreffen. Wo sie die entspre-chenden Lebensbedingungen – vor allem kalkhaltigen Untergrund – vorfindet, wächst die Schneide in herdenartigen Beständen.

Schnabelbinse, Weißes Schnabelried *Rhynchospora alba*

Dieses Sauergras wird nur 15 bis 30 cm hoch. Die Pflanze wächst in lok-keren Rasen in Zwischen- und Übergangsmooren, in Hoch- und Heide-mooren. Die Stengel sind mit 2 mm breiten Blättern besetzt. Auffällig-stes Kennzeichen sind die weißen Blütenköpfchen. Sie werden kaum von den Hochblättern überragt. Die Schnabelbinse blüht in der Zeit zwi-schen Juni und August.

Sumpfstendelwurz   *Epipactis palustris*   (Abb. oben links)

Die auf dieser Seite behandelten Pflanzen gehören alle in eine der reizvollsten Pflanzenfamilien, zu den Orchideen *(Orchidaceae)*. Rund 60 Arten sind in Mitteleuropa anzutreffen, einige davon auch auf feuchten Standorten.

Die Arten der Gattung *Epipactis* haben besonders schöne Blüten. Auf Flachmooren, Moorwiesen und an ähnlichen Stellen findet man noch recht häufig die Sumpfstendelwurz. Die Pflanze wird 30 bis 50 cm hoch. Die Blätter sind länglich-lanzettlich und wechselständig am Stengel angeordnet. Die nickenden Blüten bilden eine lockere Traube. Auffällig ist die weiße, rötlich geaderte Lippe. Diese Orchidee blüht zwischen Juni und August.

Sumpfknabenkraut   *Orchis palustris*   (Abb. oben rechts)

Moorwiesen und Flachmoore sind auch der Lebensraum des Sumpfknabenkrautes, das 30 bis 50 cm hoch wird. An dem im unteren Teil hellgrünen, oben gewöhnlich rötlich-violett überlaufenen Stengel sitzen die etwa 1,5 cm breiten linealischen Blätter. Im Juni/Juli blüht diese Orchidee. Die rosa bis purpurrot gefärbten Blüten mit der auffällig großen Lippe bilden eine lockere Ähre.

Fleischfarbenes Knabenkraut   *Dactylorhiza incarnata*

Wie andere Arten der Gattung *Dactylorhiza* auch, ist das Fleischfarbene Knabenkraut sehr variabel in seiner Erscheinung. Es wird meist 30 bis 40 cm hoch. Die steif aufrechtstehenden Blätter werden nach oben hin schmaler. Die Blütenfarbe ist manchmal rosa, manchmal tiefrot; eine Unterart hat gelbe Blüten. Dieses Knabenkraut wächst auf feuchten Wiesen und blüht im Mai/Juni.

Glanzstendel   *Liparis loeselii*   (Abb. unten rechts)

Daß Orchideen nicht immer auffällige und farbenprächtige Pflanzen sind, macht die Glanzstendel deutlich. Die Pflanze wird nur 10 bis 20 cm hoch. Die 1 bis 3 Blätter sind mehr oder weniger grundständig. Der lockere Blütenstand besteht aus 3 bis 10 unscheinbar grünlich gefärbten Blüten. Diese Orchidee blüht im Juni/Juli und wächst in Sümpfen mit torfigem Untergrund und auf Flachmooren. Sie ist zwischen der übrigen Vegetation oft nur sehr schwer zu entdecken.

Drachenwurz, Schlangenwurz *Calla palustris*

Die Drachenwurz wächst meist in ausgedehnten, dichten Beständen, und man wird sie kaum übersehen. Allerdings ist die Pflanze nicht überall in Mitteleuropa zu finden; sie fehlt über weite Strecken ganz. In Norddeutschland kommt sie aber an den Ufern von Weihern und Tümpeln, in Waldsümpfen, Erlenbrüchen, am Rand von Hochmooren und vor allem in aufgelassenen Torfstichen noch recht häufig vor. Aber wenn die Moore abgetorft und in Weideland umgewandelt werden, dann kann sich die Drachenwurz natürlich nicht mehr halten, was im übrigen auch für viele andere Moorpflanzen gilt.

Die Pflanze überdauert mit einem langen, kräftigen Wurzelstock. In 2 Zeilen treiben von hier die Blätter aus. Sie haben lange Stiele und stehen aufrecht. Die lederartige Beschaffenheit und die rundliche oder herzförmige Anlage der Blätter sind gute Kennzeichen. Wenn die Pflanze in der Zeit von Mai bis Juli blüht, ist sie nicht zu verwechseln, nur wird man sehr an den Aronstab *(Arum maculatum)* erinnert, mit dem sie auch tatsächlich nahe verwandt ist. Beide gehören in die Familie der Aronstabgewächse *(Araceae)*. Typisch ist der etwa 2 cm lange Blütenkolben, der unten Zwitterblüten und an der Spitze männliche Blüten trägt. Der Kolben wird seinerseits umstanden von einer weißlichen Scheide. Beim Aronstab umschließt diese Scheide den Kolben in Form einer Tüte, bei der Drachenwurz wird der Kolben nicht eingeschlossen. Auch im Herbst sind beide Arten ähnlich. Im Bestand der Drachenwurz ist der Boden dann mit braunen, abgestorbenen Blättern und den mit tiefroten Früchten besetzten Kolben bedeckt; auch der Aronstab bildet rote Früchte aus.

Die Drachenwurz ist über das gesamte nördliche und mittlere Europa verbreitet. Darüber hinaus kommt sie in Sibirien und im atlantischen Nordamerika vor.

Becherflechte   *Cladonia*-Art   (Abb. oben links)

Flechten sind Organismen, die aus einem Pilz und einer Alge bestehen, also eine Lebensgemeinschaft darstellen. Beide Partner dieser sogenannten Symbiose profitieren vom Zusammenleben. Der Pilz bezieht die durch Fotosynthese erzeugten Kohlenhydrate von der Alge. Diese wiederum wird durch das fädige Pilzgeflecht vor Verdunstung geschützt, und sie erhält darüber hinaus mit dem Wasser lebensnotwendige Nährsalze. Flechten haben meist sehr spezifische Ansprüche an ihren Standort, kommen aber an den unterschiedlichsten Stellen vor, so auch in Mooren und Heiden. Man kann nach der Wuchsform Krustenflechten, Blattflechten und Strauchflechten unterscheiden.

Sumpfbärlapp   *Lycopodiella inundata*   (Abb. oben rechts)

Bärlappe mag man auf den ersten Blick für Moose halten. Bei näherem Hinsehen werden aber Unterschiede deutlich. Der Sumpfbärlapp kriecht mit einem spiralig beblätterten Stengel etwa 10 cm am Boden entlang. Am Ende erhebt sich der Stengel 3 bis 10 cm hoch. Er trägt – undeutlich abgesetzt – 1 Sporenähre. Man findet diesen Bärlapp in Hoch- und Zwischenmooren, in Schwingrasen und an ähnlichen Stellen.

Teichschachtelhalm   *Equisetum fluviatile*   (Abb. unten links)

An den namengebenden gegliederten Stengeln und Seitenästen kann man die Schachtelhalme leicht erkennen. Den Teichschachtelhalm trifft man auf torfig-schlammigen Böden an, etwa in Großseggensümpfen, in der Röhrichtzone verlandender Gewässer und im flachen Wasser. Die Pflanze wird 0,30 bis 1,20 m hoch. Der Stengel ist glatt oder nur fein gestreift; es werden nur wenige Seitenäste ausgebildet. Die Scheiden der einzelnen Abschnitte liegen eng an; sie haben 15 bis 20 Zähne. Die endständige Sporenähre wird im Mai/Juni ausgebildet.

Königsfarn   *Osmunda regalis*   (Abb. unten rechts)

Einen Farn wird wohl jeder Naturfreund erkennen, zumal wenn es sich um eine so stattliche Form wie den Königsfarn handelt, der immerhin bis zu 1,80 m hoch werden kann. Die Besonderheit ist hier, daß die Sporangien nicht auf der Unterseite der Wedel angelegt werden, sondern daß ein rispenförmiger Sporenträger ausgebildet wird. Dieser selten gewordene Farn kommt in Erlenbruchwäldern und Waldquellmooren vor.

Torfmoos   *Sphagnum*-Arten

Moose stellen für Naturfreunde meist eine Pflanzengruppe dar, die sie nur summarisch betrachten. Von der einen oder anderen Form werden sie vielleicht noch den Gattungsnamen nennen können. Bei der Artbestimmung ist aber Spezialwissen vonnöten.

Da die Moose kaum Festigungselemente im Stengel besitzen, werden sie maximal wenige Zentimeter hoch; und da sie zudem keine Wurzeln haben, funktionieren auch Wasseraufnahme und -leitung nicht so effektiv wie bei den höher entwickelten Pflanzen. Bei den Moosen übernehmen vielmehr die Blättchen die Wasseraufnahme. Daß Moose aber sehr viel Wasser in ihren Polstern speichern können, wird vor allem deutlich, wenn man einmal auf einer Exkursion ins Hochmoor ein Büschel Torfmoos heraushebt und ausdrückt. Diese Gruppe innerhalb der Laubmoose kann man daran erkennen, daß der Stengel regelmäßig mit büscheligen Ästchen besetzt ist, die an der Spitze einen dichten Schopf bilden. Jetzt müßte man sich so ein Blättchen aber einmal unter dem Mikroskop betrachten. Dann würde man nämlich sehen, daß zwischen schmalen, grünen Zellen große, farblose Zellen mit versteifenden Querleisten und groben Poren liegen. Die grünen Zellen sorgen für die Fotosynthese, während die großen, farblosen der Wasserspeicherung dienen. In diesen großen Zellen ist also das Wasser festgehalten, das man aus einem *Sphagnum*-Polster herauspressen kann. Ein Torfmoospolster stellt demnach einen großen Schwamm dar.

Nun ergibt sich in den tieferen Schichten der Polster immer wieder eine Verarmung an Sauerstoff, die zum Absterben der Pflanzenteile in diesem Bereich führt. Unter Sauerstoffmangelbedingungen ist aber kein vollständiger Abbau des toten Pflanzenmaterials möglich, und es bildet sich Torf. Torfmoose spielen daher eine ausschlaggebende Rolle bei der Entstehung von Hochmooren. Die Moose wachsen zudem sehr schnell, und langsamer wachsende Pflanzen werden oft überwuchert.

Besonders hübsch sehen die Moospolster aus, wenn die Sporenkapseln ausgebildet sind (Abb. oben). Aus den ausgestreuten Sporen bilden sich Fadengeflechte, die dann zu dem weiterwachsen, was man gemeinhin Moos nennt. Irgendwann bilden sich hier männliche und weibliche Geschlechtsorgane aus. Nach der Befruchtung wächst aus der Eizelle die Sporenkapsel, die dann wieder Sporen ausstreut. Man spricht hier von einem Generationswechsel zwischen geschlechtlicher und ungeschlechtlicher (sporenbildender) Generation.

Zackenrädchen *Pediastrum*-Art (Abb. oben links)

Moore sind Feuchtgebiete, d. h. der Naturfreund stößt bei seinen Streifzügen auch auf mehr oder weniger offene Wasserflächen, und seien es
nur die mit Wasser gefüllten ehemaligen Torfstiche. Ein möglicher Fund
in einer mit dem Planktonnetz gewonnenen Wasserprobe ist das Zak-
kenrädchen, eine Grünalge, die aber nicht als einzelne Zelle existiert,
sondern als sternförmige Kolonie aus 4 bis 128 Zellen. Meist sind die
randständigen Zellen anders geformt als die im Zentrum. Die ganze Kolonie mißt nur Bruchteile eines Millimeters im Durchmesser.

Schmuckalge, Zieralge *Cosmarium*-Art (Abb. oben rechts)

Zieralgen sind besonders reizvoll geformt. Bei *Cosmarium* fällt die platt-
gedrückte, in der Mitte eingeschnürte Zelle auf. Die beiden Hälften können ganz unterschiedliche Form haben; sie können halbkreis-, trapez-
oder nierenförmig sein. Man findet diese Algen am ehesten, wenn man
Wasserproben untersucht, die aus Torfmoospolstern stammen.

Uhrglastierchen *Arcella*-Art (Abb. unten links)

Eine große Gruppe bilden die tierischen Einzeller. In Proben, die man mit
Hilfe des Planktonnetzes im freien Wasser oder durch Ausdrücken von
Torfmoospolstern gewonnen hat, kann man unterschiedliche Formen
finden. Eine recht häufige Form ist das Uhrglastierchen. Die Schale kann
man sich in etwa wie eine Halbkugel vorstellen. Aus der Öffnung können
die Zellfortsätze herausgestreckt werden. So kann das Tierchen langsam auf der Unterlage dahinkriechen.

Raubwasserfloh *Polyphemus pediculus* (Abb. unten rechts)

Mit Hilfe des Netzes wird man auch Wasserflöhe erbeuten, die wohl jeder Naturfreund kennt. Eine Form aus der Uferzone stehender Gewässer ist der Raubwasserfloh, der im Gegensatz zu den meisten Wasser-
flöhen, die sich von im Wasser schwebenden Algen und Bakterien
ernähren, zu einer räuberischen Lebensweise übergegangen ist. Sein
großes, schwarzes Auge weist darauf hin. Ebenfalls in Moorgewässern
kommt ein weiterer interessanter Kleinkrebs vor, der Gallerthüllen-Was-
serfloh *(Holopedium gibberum),* der um sich herum eine weite Gallert-
glocke ausbildet. Bei einem Massenfang hat man den Eindruck, eine
Sagosuppe im Netz zu haben.

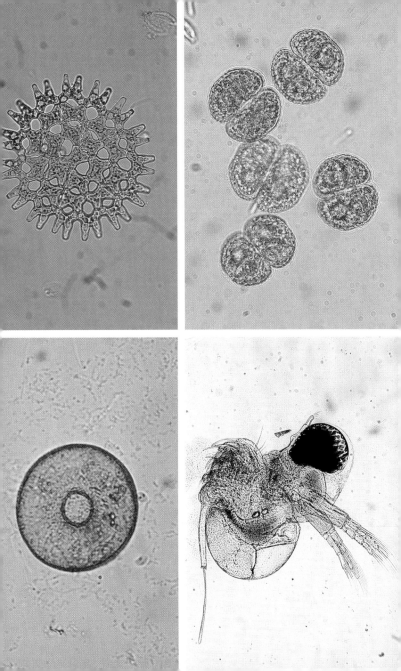

Gerandete Jagdspinne   *Dolomedes fimbriatus*   (Abb. oben)

Spinnen lassen sich allgemein recht leicht beschreiben. Ihr Körper ist in 2 Abschnitte gegliedert, das vordere sogenannte Prosoma (= Vorderleib mit Kopf) und das hintere sogenannte Opisthosoma (= Hinterleib). Am Prosoma setzen die 4 Beinpaare an. Die Gerandete Jagdspinne gehört in die Familie der Raubspinnen *(Pisauridae)*, die zum Beutefang keine Netze bauen, sondern »zu Fuß« auf Jagd gehen. Die Gerandete Jagdspinne lauert am Rand von stehenden oder langsam fließenden Gewässern auf Beute. Von hier aus geht sie auch auf die Wasserfläche hinaus, um etwa Insekten, kleine Fische und Kaulquappen zu erbeuten. An den Endgliedern der Beine besitzt die Spinne dichte Haarbüschel, die ein Einsinken ins Wasser verhindern. Die Weibchen werden 11 bis 20 mm lang, die Männchen messen nur 9 bis 13 mm. Man kann die Spinne leicht an dem weißen oder gelblichen Band erkennen, das Vorderleib und Hinterleib einrahmt. Die Weibchen legen 2mal im Jahr je etwa 1000 Eier ab, die sorgfältig betreut werden.

Schilfradspinne   *Araneus cornutus*   (Abb. unten links)

Die Schilfradspinne baut im Gegensatz zur Gerandeten Jagdspinne ein Netz, um Beute zu fangen. Die Netze haben einen Durchmesser von bis zu 60 cm und werden zwischen Schilfhalmen, Seggen und Zweigen ausgespannt. Von Juli/August an werden etwa 1000 Eier vom Weibchen abgelegt, verteilt in mehrere Kokons. Die Spinnen sind sehr variabel in ihrer Zeichnung und können eher an ihrer Lebensweise erkannt werden. Die Männchen werden 5 bis 8 mm, die Weibchen 6 bis 12 mm lang.

Wasserspinne   *Argyroneta aquatica*   (Abb. unten rechts)

Unter allen Spinnen ist die Wasserspinne die einzige Art, die unter Wasser lebt, wobei sie natürlich auf die Versorgung mit Luftsauerstoff angewiesen ist. Wenn die Wasserspinne an der Oberfläche ist, nimmt sie Luft in ihr Tracheensystem auf. Weitere Luft nimmt sie beim Abtauchen im Haarkleid des Hinterleibes mit. Um längere Zeit unter Wasser bleiben zu können, baut die Spinne Glocken. Diese Glocken sind nichts anderes als kleine Netze, die an Wasserpflanzen aufgehängt werden, und unter denen durch die herabtransportierte Luft ein gasgefüllter Raum gebildet wird. Von den Wohnglocken aus geht die Spinne auf Jagd nach Kleinkrebsen, Wasserinsekten und deren Larven. Man findet sie vor allem in Moorweihern und aufgelassenen Torfstichen.

Kleine Binsenjungfer   *Lestes virens*   (Abb. oben links)

Eine Tiergruppe, der man bei Exkursionen in Moor und Heide häufig begegnet, sind die Insekten. Im Gegensatz zu den Spinnen ist ihr Körper in 3 deutlich erkennbare Abschnitte gegliedert, den Kopf, das Bruststück und den Hinterleib. Die meisten Insekten haben 2 Flügelpaare, die – ebenso wie die 3 Beinpaare – an der Brust ansetzen.
Eine interessante Insektenordnung bilden die Libellen. Bei genauerem Hinsehen kann man auch gleich 2 Untergruppen ausmachen: Die einen tragen die Flügel in Ruhestellung über dem Hinterleib senkrecht stehend zusammengefaltet. Dies sind die Kleinlibellen, deren Flug flatternd wirkt. Die Großlibellen dagegen zeigen einen gewandten, reißenden Flug; sie tragen die Flügel in Ruhestellung flach ausgebreitet. Eine recht häufige Kleinlibelle ist die Kleine Binsenjungfer, die man an Moorgewässern in der Zeit zwischen Ende Juli und Mitte Oktober fliegen sehen kann. Sie wird etwa 3,5 cm lang; die Spannweite beträgt 4 cm. Zur Unterscheidung der einzelnen Libellenarten ist vor allem die Zeichnung des Hinterleibes wichtig. Hier braucht man entsprechende Abbildungen, die mehrere Arten nebeneinander zeigen. Fotos können die Bestimmungsarbeit aber gut ergänzen. Ein weiteres Problem bei der Bestimmung von Libellen ist, daß Männchen und Weibchen oft sehr unterschiedlich gefärbt sind.

Glänzende Binsenjungfer   *Lestes dryas*   (Abb. oben rechts)

Diese Binsenjungfer wird etwas größer als vorige Art. Sie wird bei einer Flügelspannweite von über 5 cm reichlich 4 cm lang. Auffällig ist der Metallglanz auf dem Hinterleib. Die Flugzeit liegt zwischen Ende Juni und Ende September. Die Libelle lebt an Weihern und Tümpeln. Auf dem Foto sieht man, daß die Libellen ein interessantes Paarungsverhalten zeigen. Darauf wird später noch eingegangen (s. S. 74).

Späte Adonislibelle   *Ceragrion tenellum*   (Abb. unten)

Der Hinterleib dieser Kleinlibelle ist scharlachrot gefärbt, ein auffälliges Kennzeichen. Die Adonislibelle wird 3 bis 3,5 cm lang, die Spannweite beträgt 4 bis 4,5 cm. Sie fliegt bevorzugt an schlammigen Teichen, mit Torfmoos bestandenen, sumpfigen Stellen und im Hochmoor. Von der nahe verwandten Frühen Adonislibelle *(Pyrrhosoma nymphula)* kann man sie an den hellroten Beinen unterscheiden; die der anderen Art sind schwarz.

Speer-Azurjungfer   *Coenagrion hastulatum*

Eine umfangreiche Artengruppe ist in der Gattung *Agrion/Coenagrion* zusammengefaßt. Man kann sie gut daran erkennen, daß die Männchen blau/schwarz gezeichnete Hinterleiber besitzen. Um aber die einzelnen Arten zu bestimmen, muß man ganz genau hinsehen und auf die Verteilung der blauen und schwarzen Flecken achten. So hat die Speer-Azurjungfer einen schwarzen Pfeil im blauen Feld des 2. Hinterleibsringes als Artmerkmal, die Becher-Azurjungfer *(Coenagrion cyathigerum)* einen schwarzen, becherförmigen Fleck im blauen Umfeld oder die Helm-Azurjungfer *(Coenagrion mercuriale)* einen Fleck, der wie der Helm eines Wikingers aussieht.

Die Speer-Azurjungfer wird 3 cm lang; sie hat eine Spannweite von 4 cm. Die Weibchen sind gegenüber den oben angesprochenen Merkmalen des Männchens am Hinterleib gelblich-grün gefärbt. Diese Kleinlibelle fliegt von Anfang Mai bis in den Juli hinein. Ihr Lebensraum sind Hochmoore, wo sie an Moortümpeln relativ häufig ist. In den Bergen ist sie bis in 1800 m Höhe anzutreffen.

Smaragdlibelle   *Somatochlora*-Art

Die Smaragdlibellen gehören zu den Großlibellen, also den Libellen, bei denen die Flügel in Ruhehaltung flach ausgebreitet stehen. Wenn man eine sitzende Libelle einmal genauer betrachtet, wird man auch feststellen, daß bei den Großlibellen Vorder- und Hinterflügel im Gegensatz zu den Kleinlibellen eine unterschiedliche Form haben. Auch die Augen sind größer als bei den Kleinlibellen. Das zeigt, daß Großlibellen viel effektivere Jäger sind. Sie jagen ihre Beute im Flug, wobei die Beine eine Art Fangkorb bilden. Das gefangene Insekt wird entweder schon im Flug verzehrt, oder die Libelle kehrt mit der Beute zum Ansitzplatz zurück und verzehrt sie dort. Es ist also sehr lohnend, in einem guten Libellenrevier einmal längere Zeit seine Beobachtungen anzustellen.

Die Smaragdlibellen kann man gut an ihrer grünen Färbung (Name!) erkennen. Auch die Augen sind grün gefärbt. Auf Hochmooren begegnet man 2 verschiedenen Arten, der Alpen-Smaragdlibelle *(Somatochlora alpestris)* und der Arktischen Smaragdlibelle *(Somatochlora arctica)*. Beide werden etwa 5 cm lang und haben eine Spannweite von 6 bis 7 cm. Ihre Flugzeit liegt zwischen Juni und September. Die beiden Arten sind nicht ganz leicht zu unterscheiden.

Hochmoor-Mosaikjungfer   *Aeschna subarctica*

Der deutsche Name dieser Libelle besagt schon, daß sie ausschließlich im Hochmoor zu finden ist. Dort fliegt sie in der Zeit zwischen Juli und September. Die Mosaikjungfern sind große Formen; die Hochmoor-Mosaikjungfer wird immerhin 7 bis 8 cm lang, ihre Spannweite beträgt 9,5 bis 10,5 cm. Bei uns ist diese Form recht selten. Häufiger ist die Torf-Mosaikjungfer *(Aeschna juncea),* die ganz ähnlich aussieht. Beide Arten sind sogar so schwer zu unterscheiden, daß die erstere erst in den Zwanzigerjahren als eigene Art erkannt wurde. Auffällig ist wieder die Hinterleibszeichnung. Beim Männchen ist dieser dunkelbraun bis schwarz gefärbt und weist große hellblaue und kleine grünliche Flecken auf. Das Weibchen tritt in 2 verschiedenen Färbungsvarianten auf.

Das Foto zeigt die Paarung der Libellen, neben der Beutejagd vielleicht der interessanteste Aspekt im Leben der Libellen, der eingehende Beobachtungen verdient. Man sieht in der Paarungszeit nämlich immer wieder, wie Männchen und Weibchen in einem Paarungsrad zusammengeschlossen sind. Damit hat es folgende Bewandtnis: Zunächst landet das Männchen auf der Brust des Weibchens, krümmt seinen Hinterleib ein und packt mit den Zangen am Körperende das Weibchen am Kopf bzw. an der Vorderbrust. Dann muß das Männchen das Sperma in seine Samenblase bringen, da die Keimdrüsen hinten und die Samenblase vorne im Hinterleib liegen, zwischen ihnen aber keine Verbindung besteht. Ist die Samenblase gefüllt, krümmt das Weibchen seinen Hinterleib nach vorne, um in Kontakt mit der Blase zu kommen. Bei den verschiedenen Libellen ist nun die Paarung unterschiedlich lang. Meist sieht man die Partner jedoch eine ganze Zeitlang als Rad sitzen oder fliegen. Oft bleiben sie auch bei der Eiablage zusammen. Die Eier werden in ganz unterschiedlicher Weise abgesetzt, bei manchen Formen am feuchten Ufer, bei anderen an Wasserpflanzen, bei wiederum anderen in schwimmende Algenwatten oder direkt ins Wasser.

Die Larven der Libellen leben im Wasser. Und auch bei ihnen kann man die der Großlibellen von denen der Kleinlibellen unterscheiden. Kleinlibellenlarven haben einen schlanken Körper, der am Hinterende 3 blattartige Anhänge trägt. Die Larven der Großlibellen sind derber gebaut oder gar gedrungen und plump; die Anhänge am Hinterleib fehlen. Beiden Formen ist gemeinsam, daß sie an der Vorder- bzw. Unterseite des Kopfes eine Fangmaske besitzen. Diese Maske kann blitzschnell vorgeklappt werden, um Kleinkrebse oder Wasserinsekten und deren Larven zu fangen.

Vierfleck   *Libellula quadrimaculata*

Der Vierfleck ist eine der häufigsten einheimischen Libellenarten. Man wird sie also auf Exkursionen an allen möglichen stehenden Gewässern, vor allem aber an Wasserflächen im Moor, immer wieder sehen können – und man kann diese Libelle auch leicht erkennen. Die Tiere werden 4 bis 5 cm lang; sie haben eine Spannweite von 7 bis 8,5 cm. Zum anderen tragen sie ein deutlich sichtbares Merkmal, das ihnen auch den Namen eingetragen hat. Alle Libellen besitzen ja am vorderen Rand der Flügel ziemlich weit außen ein dunkles Feld, das sogenannte Pterostigma. Beim Vierfleck nun liegt jeweils noch einmal ein dunkles Feld zwischen Pterostigma und Flügelansatz. Jeder Flügel trägt also zwei dunkle Felder. Weiter kommt hinzu, daß alle 4 Flügel im vorderen Teil an der Basis goldgelb gefärbt sind. Auch dies fällt sofort auf. Die Hinterflügel zeigen zusätzlich große, dunkle, gelb geaderte Basisflecken. Ansonsten sind die Tiere insgesamt bräunlich-gelblich gefärbt. Ihre Flugzeit liegt zwischen Anfang Mai und Mitte August.

Interessant ist das Auftreten von großen Wanderungen. Bis ins einzelne hat man die Ursachen noch nicht geklärt, aber bei Massenauftreten bilden die Vierfleck-Libellen Schwärme, die sich dann in Bewegung setzen.

Kleine Moosjungfer   *Leucorrhinia dubia*

Die Moosjungfern sind nahe verwandt mit dem Vierfleck; beide gehören in die Familie der Segellibellen *(Libellulidae)*. 5 Arten von Moosjungfern sind bei uns heimisch, und alle wird man im Moor antreffen können: Ihr Vorkommen ist an saure Gewässer gebunden. Um die einzelnen Arten zu unterscheiden, muß man auf einen speziellen Führer zurückgreifen. Die Hinterleibszeichnung ist dabei wieder das wichtigste Kennzeichen. Auf dunklem Grund sind gelbliche, bräunliche oder rötliche Flecken unterschiedlicher Form ausgebildet. Bei der Kleinen Moosjungfer sind es beispielsweise verschieden große rötliche Flecken auf schwarzem Grund beim Männchen; beim Weibchen sind die Flecken grünlich und dabei mehr oder weniger einheitlich klein. Die Tiere werden 3 bis 4 cm lang und haben eine Spannweite von 5 bis 6 cm. Ihre Flugzeit liegt zwischen Anfang Mai und Mitte August. Die Weibchen legen 500 bis 600 Eier ab. Bei der Eiablage sind sie nicht mehr mit dem Männchen zusammen. Sie fliegen flach über das Wasser und tauchen immer wieder ihren Hinterleib ein. Jedesmal werden einige Eier abgegeben, die dann zum Gewässerboden sinken. Für ihre Entwicklung brauchen die Larven etwa 3 Wochen. Sie leben zwischen den Wasserpflanzen.

Sumpfschrecke   *Mecosthetus grossus*

Bei Streifzügen durch Heide- und Moorgebiete wird man immer wieder auch Heuschrecken begegnen, einer Gruppe von Insekten, die eigentlich jedem bekannt ist. Dennoch seien hier die wesentlichen Kennzeichen der in der Ordnung der Heuschrecken *(Saltatoria)* zusammengefaßten Tiere kurz festgehalten: Es sind mittelgroße bis große Insekten, die einen dicken Kopf besitzen. Das erste Segment des Bruststückes ist auffällig sattelförmig ausgebildet. Beide Flügelpaare sind häutig, das vordere ist aber derber und fester. Dennoch wird man die Heuschrecken kaum einmal fliegen sehen. Meist entdeckt man sie erst, wenn sie vor einem wegspringen. Zu diesen weiten Sätzen sind die Tiere in der Lage, weil die Hintergliedmaßen zu kräftigen Sprungbeinen umgewandelt sind.

Die genannten Kennzeichen treffen auch auf die Sumpfschrecke zu, die zur Familie der Feldheuschrecken *(Acrididae)* gehört, die sich von den Laubheuschrecken *(Tettigoniidae)* durch die kurzen Fühler unterscheiden. Weiter fällt bei der Sumpfschrecke sofort die Rotzeichnung an den Hinterbeinen und der insgesamt gelblichgrün gefärbte Körper mit der schwarzbraun eingefärbten Oberseite auf. Diese Heuschrecke ist – wie viele andere Tiere auch – vom Trockenlegen der Feuchtgebiete besonders betroffen. Ihr Lebensraum sind nämlich Sumpfwiesen, Bachufer und ähnliche Stellen.

Blauflügelige Ödlandschrecke   *Oedipoda coerulescens*

War die vorige Art in feuchtem Gelände anzutreffen, so ist die Ödlandschrecke auf trockenen, warmen Flächen zuhause. Auch sie ist eine Feldheuschrecke, hat also kurze Fühler. Sieht man sie sitzen, hat man schon Glück gehabt, denn die rund 3 cm lange Heuschrecke ist hervorragend getarnt. Man sieht sie meist erst, wenn sie vor einem auffliegt. Dann aber zeigt sich, daß dieses unscheinbare Tier eigentlich sehr schön gefärbt ist. Die Hinterflügel sind nämlich leuchtend blau. Die Hinterränder der Flügel sind breit schwärzlich eingefaßt, an den Flügelspitzen liegt ein helleres Feld. Kaum hat sich das Tier dann irgendwo niedergelassen, ist es den Blicken wieder entschwunden.

Im selben Lebensraum, nämlich trockenen, sandigen Flächen, auch aufgelassenen Kiesgruben und ähnlichen Stellen, trifft man eine Heuschrecke an, die rötlich gefärbte Hinterflügel besitzt. Es ist die nahe verwandte Rotflügelige Ödlandschrecke *(Oedipoda germancia)*. Sie ist aber wesentlich seltener als die blauflügelige Form.

Gemeine Ameisenjungfer   *Myrmeleon formicarius*

Bei einer Wanderung in Heidegebieten wird man vielleicht einmal auf sandigen Flächen merkwürdige Trichter am Boden entdecken. Sie haben einen Durchmesser von einigen Zentimetern; bei 8 cm liegt der höchste Wert. Die Trichter findet man oft in Gruppen nebeneinander (Abb. oben). Wenn man diese kleinen Krater nicht gleich einordnen kann, sollte man sich einmal die Zeit nehmen und genauer hinsehen. Wenn sich nämlich Ameisen an der Stelle aufhalten, wird man sehen, daß hin und wieder eines der Tiere in einen Trichter gerät. Die Wände sind so locker, daß die Ameise Mühe hat, wieder herauszukommen. Hat sie eine Chance, sich wieder zum Rand vorzuarbeiten, sieht man plötzlich, wie vom Grund des Trichters Sandkörnchen in Richtung der Ameise geschleudert werden. Diese kommt erneut ins Rutschen und landet auf dem Grund des Trichters. Hier wird sie dann von 2 mächtigen Zangen gepackt. Diese Zangen sind die Mundwerkzeuge des Ameisenlöwen, der Larve der Ameisenjungfer (Abb. unten links). Die ausgewachsenen Larven werden etwa 1,2 cm lang und etwa 6 mm breit. Will man sich einen Ameisenlöwen näher ansehen, muß man unter einen Trichter fassen und ihn mit dem Sand herausheben. Die dolchartigen Zangen ermöglichen nicht nur das Ergreifen der Beute, mit ihr werden die Ameisen und andere kleine Insekten auch ausgesaugt.

Aus der Larve entwickelt sich das fertige Insekt – das ist bei allen Insekten gleich. Bei den bisher behandelten Libellen und Heuschrecken wachsen aus den Eiern Larven heran, die sich mehrere Male häuten und irgendwann die Endgröße des erwachsenen Tieres erreichen. Bei der Ameisenjungfer und den meisten anderen Insekten nun entwickelt sich aus der Larve – hier dem Ameisenlöwen – zunächst eine Puppe. In diesem Stadium finden intensive Umbauprozesse im Innern statt, bis schließlich das erwachsene Tier, die Imago, schlüpft. Diese sieht hier einer Libelle ähnlich (Abb. unten rechts). Allerdings sind die Flügel unregelmäßig gefleckt, und vor allem sieht man am Kopf kurze, kräftige, keulenförmige Fühler – beides Kennzeichen, die die Ameisenjungfern deutlich von Libellen unterscheiden. In Ruhehaltung werden die Flügel dachartig über dem langen Hinterleib zusammengelegt. Betrachtet man die Flügel von nahem, so fällt die dichte netzartige Aderung auf. Tiere, die so oder ähnlich gebaut sind, ordnen die Entomologen, die Insektenkundler, in die Ordnung der Netzflügler *(Planipennia)* ein.

Die Ameisenjungfer wird rund 3,5 cm lang, ihre Spannweite beträgt 6 bis 8 cm. Man sieht also, daß das erwachsene Tier deutlich größer ist als die Larve.

Hochmoor-Gelbling *Colias palaeno*

Innerhalb der großen Klasse der Insekten bilden die Schmetterlinge eine artenmäßig sehr umfangreiche Ordnung, die der *Lepidoptera.* Gemeinsames Kennzeichen aller Schmetterlinge sind die Bedeckung der Flügel mit winzigen Schuppen und der lange Saugrüssel.

Eine ziemlich bekannte Schmetterlingsfamilie bilden die Weißlinge mit dem bekannten Kohlweißling *(Pieris brassicae)* oder dem Zitronenfalter *(Gonepteryx rhamni).* Während aber bei letzterer Art die Flügel mehr oder weniger einheitlich gelbe Flächen bilden, besitzt das Männchen des Hochmoor-Gelblings blaßgelbe Flügel mit ungefleckten schwarzen Randbinden. Beim Weibchen ist der Grundton der Flügel ein grünlichweiß. Am Rand sind die Flügel rot gefranst. Die Vorderflügel werden rund 3 cm lang.

Der Gelbling fliegt in 1 Generation, und zwar im Juni und Juli. Man trifft ihn auf Hochmooren und ähnlich feuchten Flächen an. Die Eier werden an der Rauschbeere *(Vaccinium uliginosum)* abgelegt, von deren Blättern die Raupen leben. Durch die Trockenlegung vieler Hochmoore ist dieser schöne Schmetterling heute sehr in seinem Bestand bedroht. In Mitteleuropa stellt er ein Glazialrelikt dar, d. h. sein Vorkommen hier erklärt sich aus dem Verlauf der letzten Eiszeit. Im Norden Europas ist der Schmetterling noch häufig.

Braunfleckiger Perlmutterfalter *Clossiana selene*

Mit dem Perlmutterfalter lernen wir eine weitere Schmetterlingsfamilie kennen, die der Flecken- oder Edelfalter *(Nymphalidae).* Die Oberseite des Braunfleckigen Perlmutterfalters ist von der Grundfarbe her orangebraun. Auf den Flügeln zeigt sich ein Muster aus schwarzen Flecken, Linien und Punkten. Die Färbung ist das wichtigste Kennzeichen, um die Perlmutterfalter-Arten zu unterscheiden. Allerdings gibt es auch in nahe verwandten Gattungen sehr ähnlich aussehende Falter, so daß man auf ein Bestimmungsbuch angewiesen ist, will man genaue Artdiagnosen vornehmen.

Der Braunfleckige Perlmutterfalter ist ökologisch flexibler als der Hochmoor-Gelbling und weit verbreitet. Er kommt auf feuchten Wiesen vor, in Bruchwäldern, in Auen und an Waldrändern, sowohl in der Ebene wie auch noch in 2000 m Höhe. Es werden 2 Generationen beobachtet, die erste von April bis Juni, die zweite im Juli/August. In Gebirgslagen und in Skandinavien fliegt aber nur 1 Generation, und zwar im Juni/Juli. Die Raupen leben auf Veilchen, aber auch auf der Heidelbeere.

Kleines Nachtpfauenauge   *Eudia pavonia*

Das Kleine Nachtpfauenauge ist ein sehr großer Schmetterling; die Vorderflügel werden 2 bis 3,5 cm lang. Auffällig sind vor allem die Augenflecken auf Vorder- und Hinterflügeln, eine Zeichnung, die auch bei anderen Schmetterlingen auftritt. Sie haben die Funktion der Abschreckung von Freßfeinden. Die weiteren Kennzeichen sind die graubraune Grundfärbung, die allerdings nur beim Weibchen durchgängig ist. Beim Männchen sind die Hinterflügel eher braunorange gefärbt. Die Männchen sind zudem kleiner als die Weibchen, und sie haben stärker gekämmte Fühler. Solche deutlichen Unterschiede zwischen beiden Geschlechtern kommen bei vielen Schmetterlingen vor; man spricht hier von Geschlechtsdimorphismus.

Das Kleine Nachtpfauenauge fliegt von April bis Mai. Es gibt nur 1 Generation im Jahr. Der Lebensraum dieses zur Familie der Nachtpfauenaugen oder Augenspinnern *(Saturniidae)* gehörenden Schmetterlings sind Moore, Heidegebiete und Waldlichtungen. Der Falter kommt also in sehr unterschiedlichen Lebensräumen vor. In der Zeit von Mai bis Juli findet man die Raupen, die auf Weiden, Birken, Heidekraut oder Heidelbeere fressen. Es kommen aber – je nach Lebensraum der Falter – auch andere Futterpflanzen in Frage.

Kiefernspinner   *Dendrolimus pini*

Unter den Schmetterlingen gibt es zahlreiche Arten, die bei Massenauftreten große Schäden an der Vegetation anrichten können. Ein Beispiel, das für die Kiefernwälder auf mageren Sandböden gilt, ist der Kiefernspinner. Dieser Falter ist mit seinen 2,5 bis 3,5 cm langen Vorderflügeln eine große Art, die aber unauffällig (und sehr variabel) gefärbt ist. Er ist an das Vorkommen der Kiefer gebunden und findet natürlich dort optimale Bedingungen, wo der Baum in Monokulturen angepflanzt worden ist. Wenn diese großflächigen Kiefernbestände dann auf trockenen Standorten stocken, wie es etwa in Norddeutschland der Fall ist, dann ist die Grundvoraussetzung für eine kräftige Vermehrung der Spinner gegeben. Fallen nun noch wenig Niederschläge, kommt es mehr oder weniger zwangsläufig zu einer Massenentwicklung, die zu großen Waldschäden führt. Die Förster müssen dann mit der Giftspritze eingreifen.

Die Kiefernspinner fliegen von Ende Juni bis in den August hinein. Die Eier werden in Häufchen zu je etwa 50 Stück an die Rinde abgelegt. Die Raupen sind spezialisiert und ernähren sich praktisch nur von Nadeln und Trieben der Kiefer. Das Foto zeigt Raupe und Falter.

Honigbiene   *Apis mellifica*

Die Honigbiene ist eines der bekanntesten Insekten überhaupt. Sie besitzt – wie die meisten Insekten – 4 Flügel, die hier häutig-durchsichtig sind. Die Entomologen stellen sie zusammen mit den Ameisen, Wespen, Hummeln und weiteren Artengruppen in die Ordnung der Hautflügler *(Hymenoptera)*. Innerhalb dieser Ordnung bilden die Bienen eine eigene Familie, die der *Apidae*. Viele Hautflügler leben in Gemeinschaften zusammen; auch die Honigbiene ist eine staatenbildende Art. Da sie eines der wenigen Insekten ist, die der Mensch zum Haustier gemacht hat, weiß man heute sehr gut, was die Biene alles kann und wie der Bienenstaat funktioniert. Beispielsweise haben Biologen untersucht, wie die Sehfähigkeit der Bienen beschaffen ist. Denn da sich die Tiere von Pollen und Nektar ernähren, kommt natürlich der Beziehung Futterquelle/ Sehen eine große Bedeutung zu.

Nun ist es aber im Bienenstaat nicht sinnvoll, daß nur eine Biene weiß, wo eine gute Futterquelle liegt. Es ist vielmehr sinnvoll, daß sie das den Artgenossen im Stock mitteilt. Dies funktioniert nur dann, wenn die Tiere irgendwie miteinander kommunizieren. Und daß es so etwas wie eine »Bienensprache« gibt, hat der Nobelpreisträger KARL VON FRISCH in langen Versuchsreihen herausgefunden. Er fand, daß die Bienen im Stock »Tänze« aufführen, aus denen die anderen Stockmitglieder Lage, Entfernung und Ergiebigkeit der Futterquelle entnehmen können.

Die bestäubenden Arbeitsbienen sind aber nur ein Teil der Besatzung eines Bienenstockes. Weiter gehören hinzu die männlichen Bienen, die Drohnen, die aber nur die Funktion haben, die Königin auf ihrem Hochzeitsflug zu begatten. Zentrum des Bienenstaates ist die Königin, die sorgfältig gepflegt wird. Sie ist größer als Drohnen und Arbeiterinnen und hat nur die Aufgabe, Eier zu legen.

Bienen sind – wie gesagt – schon lange Haustiere geworden, und gerade in den Heidegebieten wie der Lüneburger Heide bildete die Bienenhaltung und die damit einhergehende Honig- und Wachsproduktion eine wirtschaftliche Grundlage vieler Bauernhöfe. Heute ist das anders. Zur Zeit der Heideblüte nutzen Wanderimker aus der nahen und weiten Umgebung die Möglichkeit, hier 3 bis 4 Wochen lang ihre Völker den gefragten Heidehonig produzieren zu lassen. Meist werden Kästen verwendet, die leicht zu handhaben sind. Man kann aber immer noch die Bienenkörbe, die sogenannten Lüneburger Stülper, im Immentun, dem »Bienenzaun«, stehen sehen (Abb. unten). Ist die Heideblüte vorbei, ziehen die Imker weiter.

Sandwespe *Ammophila sabulosa*

Die Sandwespe ist wie die Biene ein Hautflügler, aber in die Familie der Grabwespen *(Sphecidae)* einzuordnen. Das Tier wird 1,8 bis 2,8 cm lang, wird also schon von seiner Größe her auffallen. Weiter ist der rötlich gefärbte Hinterleib mit den schwarzbraunen Endgliedern sehr auffällig. Hat man das Insekt nah vor sich, sieht man auch deutlich, daß die vorderen Glieder des Hinterleibs stielförmig sind, daß also der Hinterleib insgesamt keulenartig aussieht und ein deutlicher taillenartiger Übergang zwischen Bruststück und Hinterleib besteht. Man findet die Sandwespe am ehesten auf sandigen Flächen mit wenig Bewuchs. Hier gräbt sie Röhren in den Boden, die am Ende erweitert sind. In diese Röhren werden Raupen eingetragen, die zuvor mit Stichen gelähmt worden sind. Da sie auch große Raupen angreift, kann die Sandwespe die Beute oft nicht im Flug transportieren, sondern muß sie »zu Fuß« zu den Röhren schleifen. Hat sie dort ausreichende Beutemengen angesammelt, legt sie ein Ei hinein und verschließt die Röhre. Die Larve ernährt sich nach dem Schlüpfen von den eingetragenen Raupen.

Feld-Sandlaufkäfer *Cicindela campestris*

Die Insekten sind eine artenmäßig außerordentlich vielfältige Tiergruppe. Rund 800 000 Arten kommen auf der Erde vor, davon rund 30 000 in Mitteleuropa. Die Käfer bilden innerhalb der Insekten mit etwa 350 000 Arten eine erstaunlich große Gruppe, die in Mitteleuropa mit etwa 8000 Arten vertreten ist. Als Insektentyp kann man die Käfer recht gut gegen andere abgrenzen: Sie sind fast alle kräftig gepanzert. Die Panzerung auf der Oberseite wird durch die in Ruhe zusammengelegten chitinisierten Vorderflügel (Deckflügel) bewirkt. Wenn die Käfer fliegen, dann stellen sie die Vorderflügel hoch, denn sie fliegen ausschließlich mit den häutigen Hinterflügeln. Diese werden unter den Deckflügeln zusammengefaltet, wenn sich der Käfer niedergelassen hat.

Sandlaufkäfer bilden eine eigene Familie, die der *Cicindelidae*. Es sind eher langgestreckte Käfer mit kräftigen Mundwerkzeugen und leistungsfähigen Laufbeinen. Auf wenig bewachsenen, trockenen und besonnten Stellen jagen die Käfer ihrer Beute nach. Als Räuber haben sie sichelförmige Oberkiefer entwickelt, mit denen sie die Beute wie eine Beißzange packen. Die Käfer werden am Boden immer sehr agil wirken; man kann sie kaum einmal in Ruhe betrachten. Wenn man sich den Tieren zu sehr nähert, fliegen sie auf, um sich in Sicherheit zu bringen. Die Käfer werden bis zu 1,5 cm lang.

Moorfrosch   *Rana arvalis*

Moore gehören nicht umsonst zu den schützenswertesten Lebensräumen. Denn gerade die Feuchtgebiete, zu denen die Moore zu zählen sind, nehmen flächenmäßig stark ab. Damit verschwinden neben vielen anderen Tieren auch die Lurche. Der Moorfrosch ist eine gefährdete Art. Er wird rund 7 cm lang. Seine Färbung erinnert an die des nahe verwandten Grasfrosches *(Rana temporaria),* mit dem man ihn leicht verwechseln kann. Beide Frösche sind mehr oder weniger rötlich-braun gefärbt und unregelmäßig dunkelbraun gefleckt. Auffällig ist weiter der schwarze Schläfenfleck. Die Schnauze ist beim Grasfrosch vorne abgerundet, beim Moorfrosch läuft sie spitz zu.

Der Moorfrosch kommt vom mittleren und nördlichen Europa ostwärts bis nach Sibirien vor. Als Lebensraum bevorzugt er Sumpf- und Moorwiesen. Zur Laichzeit im März suchen die Frösche Tümpel und Weiher auf, da sich die Entwicklung der Jungen ja im Wasser vollzieht. Die Eier – schwarz mit hellem Fleck – werden wie beim Grasfrosch in großen Klumpen abgelegt. Die Weibchen legen jeweils etwa 2000 Eier ab. Die Kaulquappen werden 4 cm lang und verwandeln sich in der Zeit zwischen Juni und August in Jungfrösche. Moorfrösche überwintern entweder an Land, versteckt unter Pflanzen, oder im Wasser.

Kreuzkröte   *Bufo calamita*

Von den Fröschen lassen sich die Kröten gut unterscheiden: Typisch sind die insgesamt warzige Haut und die auffälligen Ohrdrüsen; die Haut der Frösche ist glatter. Die Kreuzkröte wiederum kann man gut daran erkennen, daß auf ihrem grünlich-bräunlichen Rücken ein weißlich-gelblicher Längsstreifen verläuft. Die Tiere werden bis zu 8 cm lang. Ihre Beine sind recht kurz; Kröten springen nicht, sondern sie laufen durch die Gegend. Das Verbreitungsgebiet der Kreuzkröte erstreckt sich von der Iberischen Halbinsel bis ins nordwestliche Rußland. In Großbritannien ist sie an einigen Stellen verbreitet, in Skandinavien nur im Süden. Auf der Apennin-Halbinsel und auf dem Balkan fehlt sie großenteils. Vertikal ist die Kreuzkröte bis in etwa 1000 m Höhe verbreitet. Ihr Lebensraum sind aber eher die Niederungen, wo sie auf sandigem Boden anzutreffen ist. Die Laichzeit der Kreuzkröten liegt zwischen April und Juni, und während die Frösche ihre Eier in Klumpen ablegen, ziehen die Kreuzkröten kurze, einreihige Laichschnüre zwischen die Wasserpflanzen. Die Eier sind schwarz gefärbt und weisen einen hellen Fleck auf. 3000 bis 4000 Eier werden pro Weibchen abgelegt.

Mooreidechse, Waldeidechse   *Lacerta vivipara*

Der Lebensraum dieser Eidechse sind Moore und sumpfige Wiesen, aber auch feuchte Gebiete im Wald. Mit Ausnahme der Iberischen Halbinsel, fast ganz Italiens und Griechenlands kommt dieses Kriechtier überall in Europa und weiter in großen Teilen Nordasiens vor. Vertikal erstreckt sich die Verbreitung bis in 3000 m Höhe; ein dritter Name dieses Tieres ist deshalb auch Bergeidechse. Die Tiere werden 16 bis 18 cm lang. Ihre Färbung kann sehr unterschiedlich sein. Der Rücken ist bei den einen Exemplaren grau, bei den anderen aber rötlich oder dunkelbraun gefärbt. Meist verläuft ein dunkler Längsstreifen und/oder eine gelbe und schwarze Punktierung auf der Mitte des Rückens. Die Flanken der Eidechse sind dunkler gefärbt, die Unterseite orange oder gelblich. Die Männchen haben auf der Unterseite oft schwarze Flecken. Eidechsen sind – wie die Frösche und Kröten – wechselwarm und verbringen die kalte Jahreszeit in Winterstarre. In Hochlagen kann diese Ruhezeit 8 bis 9 Monate dauern. Ungewöhnlich ist bei dieser Eidechse, daß sie ihre Jungen lebend zur Welt bringt. Es sind meist 3 bis 10, in Ausnahmefällen auch bis zu 15.

Kreuzotter   *Vipera berus*

Moore, Heiden, Dünengebiete und steiniges Gelände sind der Lebensraum dieser Giftschlange. Vom Tiefland bis ins Hochgebirge ist sie anzutreffen; man hat sie sogar noch in 3000 m Höhe beobachtet. Ihr Verbreitungsgebiet erstreckt sich über das nördliche und mittelere Europa und Asien. Die Schlange ist also weit verbreitet, und da sie tagaktiv ist, müßte man sie viel häufiger zu Gesicht bekommen, als es tatsächlich der Fall ist. Das liegt daran, daß Schlangen auf Erschütterungen des Bodens reagieren und sich eher zurückziehen. Manchmal verläßt sich die Kreuzotter aber auf ihre Tarnung, und dann kann es im schlimmsten Fall zu einem Biß kommen. Ihr Giftapparat ist so konstruiert, daß die beiden beweglichen, von einem Giftkanal durchzogenen, im Oberkiefer stehenden Giftzähne bei geschlossenem Maul in Gaumenfalten verborgen liegen. Erst wenn die Otter ihr Maul öffnet, werden die Zähne ausgefahren. Das Gift hilft der Schlange, Beute zu machen. Man erkennt die Kreuzotter leicht an dem beim Weibchen dunkelbraunen, beim Männchen schwarzen Zickzackband auf dem Rücken. Außerdem fallen der dreieckige Kopf und die senkrecht stehenden Pupillen auf. Die Tiere werden 70 bis 80 cm lang. Im Spätsommer bringen die Weibchen aus im Mutterleib erbrüteten Eiern 5 bis 18 lebende Junge zur Welt.

Moorente   *Aythya nyroca*

Bei einem Streifzug durchs Moor wird man immer wieder einmal Enten auf den Wasserflächen beobachten können, am häufigsten sicher die Stockente *(Anas platyrhynchos)*, aber auch Krick- und Knäkente *(Anas crecca, Anas querquedula)*. Die genannten Arten gehören zur Gruppe der Schwimmenten, die ihre Nahrung suchen, indem sie »Köpfchen in das Wasser, Schwänzchen in die Höh« im flachen Wasser gründeln. Ihr Körper ist langgestreckt, der Schwanz ragt schräg aus dem Wasser heraus. Ganz anders die Körperform der Moorente; sie ist kürzer und flacher gebaut, und der Schwanz fällt mit der Wasserlinie zusammen. Die Moorente gehört zur Gruppe der Tauchenten, die unter Wasser mit den Füßen paddelnd auf Nahrungssuche gehen.

Moorenten werden 40 cm lang. Beide Geschlechter sind tief kastanienbraun gefärbt. Draußen kann man meistens auch die weißen Unterschwanzfedern erkennen. Männchen und Weibchen sind nur auf nahe Distanz zu unterscheiden. Die Männchen haben eine weiße Iris, die Weibchen eine braune. Gegen Ende Mai legt das Weibchen 7 bis 11 Eier; das Nest steht immer in dichter Vegetation. Nach 25 bis 27 Tagen schlüpfen die Jungen.

Wachtelkönig   *Crex crex*

Der Wachtelkönig gehört mit den beiden bekannten am Wasser zu beobachtenden Arten Teichhuhn *(Gallinula chloropus)* und Bläßhuhn *(Fulica atra)* zu den Rallen. Während aber letztere sehr leicht zu sehen sind, wird man den Wachtelkönig kaum bemerken; er führt eine ausgesprochen versteckte Lebensweise. Dennoch ist der Vogel weit verbreitet: Von Skandinavien und Schottland bis südlich zum Mittelmeer kommt er vor. Sein Lebensraum sind aber feuchte bis moorige Wiesen und Felder. Und da die Feuchtwiesen überall trockengelegt und landwirtschaftlich genutzt werden, sind die Wachtelkönige entsprechend selten geworden. Mancherorts sind die Bestände sogar völlig erloschen. Zur Brutzeit wird man auf den Vogel aufmerksam, wenn man seine knarrenden »rerrp-rerrp«-Rufe hört.

Der Wachtelkönig wird rund 25 cm lang. Das Gefieder ist insgesamt unscheinbar bräunlich gefärbt. An Kopf und Brust fallen graue Partien auf. Die Flanken und der Unterschwanz sind rotbraun gebändert. Im Flug fallen die rostbraunen Flügel auf. Die Vögel nisten in dichter Vegetation; das Weibchen legt 8 bis 12 Eier. Der Wachtelkönig ist ein Zugvogel, der sich in Mitteleuropa von Mai bis in den Spätsommer hinein aufhält.

Kranich *Grus grus*

Auch wenn der Kranich eher einem Reiher oder einem Storch in der Gestalt ähnlich sieht, so ist er doch mit den Rallen näher verwandt. Zusammen mit diesen – und einigen weiteren Vogelfamilien – stellen ihn die Ornithologen in die Ordnung der Kranichvögel *(Gruiformes)*. Der Kranich wird 1,15 cm lang, die Flügelspannweite beträgt 2,40 m. Mit seinem schiefergrauen Gefieder sieht er zwar einem Graureiher *(Ardea cinerea)* ähnlich, aber er hat doch einige spezielle Kennzeichen. So sind Gesicht und Kehle schwarz, Kopfseiten und Hals weiß, der Scheitel rot gefärbt. Wenn man beide – Kranich und Reiher – fliegen sieht, dann fällt sofort auf, daß ersterer mit ausgestrecktem Hals fliegt, während ihn letzterer S-förmig zusammenlegt; der fliegende Reiher wirkt gedrungener.

Der Kranich brütet vor allem in Skandinavien und im nordöstlichen Mitteleuropa. Auch einige Brutplätze in Süd- und Südosteuropa und in Kleinasien sind bekannt. Weiter zieht sich das Verbreitungsgebiet bis weit nach Sibirien hinein. In Deutschland gibt es ebenfalls noch einige Brutplätze, die allerdings meist östlich der Elbe liegen. In den grenznahen Bereichen Niedersachsens brütet heute noch etwa ein Dutzend Paare, die streng geschützt sind und bewacht werden.

Die großen Vögel bewohnen fast ausschließlich feuchtes Gelände; in sumpfigen Wiesen, Mooren und lichten Bruchwäldern legen sie ihre umfangreichen Nester an. Das Weibchen legt meist 2, selten auch 3 Eier, die knapp 10 cm lang sind. Sie sind bräunlich-grünlich gefärbt und dabei grob dunkelbraun und grau gefleckt. Beide Geschlechter brüten die Eier abwechselnd aus; die Jungen schlüpfen nach rund 4 Wochen. Die jungen Kraniche sind Nestflüchter und werden lange von den Altvögeln geführt. Danach halten die Familienverbände aber noch weiter zusammen. Kraniche sind Zugvögel, die bei uns im März eintreffen. Die Gelege findet man dann in der ersten Aprilhälfte, und im Oktober ziehen die Vögel gemeinsam ab. Auf dem Zug nehmen sie eine V-förmige Formation ein, manchmal auch nur eine Linienformation. Sie überwintern teils schon in Nordafrika, teils aber auch weiter südlich in Ostafrika. Während so eines Jahreszyklus kommen an traditionellen Sammelplätzen immer wieder Massen von Kranichen zusammen. So sammeln sie sich beispielsweise im September am Müritzsee in Mecklenburg. Die Vögel brechen dann nach einiger Zeit gemeinsam nach Süden auf. Und die skandinavischen Kraniche unterbrechen ihren Zug im Frühjahr am Hornborga-See in Mittelschweden. An diesem Sammelplatz balzen sie, wobei sie Luftsprünge und Verbeugungen aufführen – ein grandioses Naturschauspiel, das jedes Jahr viele Menschen anzieht.

Kornweihe *Circus cyaneus*

Greifvögel sind heute selten geworden. Zu lange fiel diese Vogelgruppe unter den Begriff »schädlich«, was Abschuß der Altvögel und Aushorstung der Jungen zur Folge hatte. Hinzu kommen die Veränderungen in den Lebensräumen. Die Kornweihe ist einer der Greife, die besonders unter der Umgestaltung der Landschaft zu leiden hatten. Denn ihr ursprünglicher Lebensraum sind Flachmoore, Heidemoore, Heiden und Dünenlandschaften, und an vielen ehemaligen Brutplätzen grasen heute Kühe oder wächst Mais. Es ist wieder einmal so, daß das dichtbesiedelte Mitteleuropa biologisch verarmt.

Die Kornweihenmännchen erkennt man an ihrem hellgrauen Gefieder und den dunklen Flügelspitzen. Auffällig ist der weiße Bürzel. Die Weibchen sind auf der Oberseite einfarbig dunkelbraun, auf der Unterseite auf hellbraunem Grund dunkelbraun gefleckt. Auch sie zeigen als Merkmal den weißen Bürzel. In ähnlichen Lebensräumen wie die Kornweihe kommt auch die nahe verwandte Wiesenweihe *(Circus pygargus)* vor. Die Weibchen der letzteren Art lassen sich draußen kaum von Kornweihenweibchen unterscheiden. Die Männchen dagegen sind an dem grauen – nicht weißen – Bürzel und an den schwarzen Flügelbinden gut zu erkennen. Im Flug zeichnen sich die Weihen dadurch aus, daß sie in niedriger Höhe über ihr Revier gleiten. Die Flügel werden dabei in der Waagerechten angewinkelt getragen. Im April zeigen die Vögel ihre schönen Balzflüge (s. Foto). Das Nest wird von beiden Partnern gemeinsam aus trockenem Pflanzenmaterial erbaut. Das Weibchen legt gewöhnlich 4 bis 5 Eier. Da die Nester am Boden stehen, sind sie durch Räuber wie Fuchs, Hermelin oder Iltis gefährdet. Die Jungen schlüpfen nach rund 30 Tagen und werden nach weiteren 6 Wochen flügge.

Baumfalke *Falco subbuteo*

Dieser nur rund 35 cm lange Falke ist über fast ganz Europa mit Ausnahme des mittleren und nördlichen Großbritanniens und Skandinaviens verbreitet, über Nordwestafrika und ganz Mittelasien. Typisch sind die graublaue Rückenfärbung, die dunkel gefleckt-gestreifte Brust und die rostbraunen »Hosen«. Zur Eiablage werden alte Nester benutzt, häufig die von Krähen. Das Weibchen legt meist 3 Eier, die auf gelblich-weißlichem Grund fein braun gefleckt sind. Nach 4 Wochen schlüpfen die Jungen. Die Falken ziehen Ende August aus Mitteleuropa ab, um erst in der ersten Maihälfte aus Ost- oder Südafrika zurückzukehren.

Triel   *Burhinus oedicnemus*

Der Triel ist ein Vertreter der Ordnung der Wat- und Möwenvögel *(Charadriiformes)*, zu der auch die auf den kommenden Seiten behandelten Vogelarten bis hin zum Rotschenkel gehören. Diese Vogelgruppe ist außerordentlich vielgestaltig. Der Triel brütet in Mittel- und Südeuropa, ist aber auch in Nordafrika weit verbreitet und in Vorder-, Mittel- und Südasien. Er kommt auf Heideflächen und in Dünengebieten, auf Ödland und gelegentlich in Kiefernheiden vor, auf sandigem oder steinigem, kahlem Grund. Da solche Gebiete in Mitteleuropa aber recht selten sind, kommt der Triel eher inselartig vor. Der Vogel wird 40 cm lang. Von seiner Größe her ist er also recht auffällig. Dem steht aber die unscheinbare Färbung gegenüber. Das Gefieder ist hellbraun und weißlich gestreift. Die beiden kräftigen weißlichen Flügelbinden fallen auch beim stehenden Vogel auf. Weitere Kennzeichen sind die langen, grünlichen Beine, der runde Kopf und vor allem die großen Augen mit der gelben Iris. Der Schnabel ist kurz und kräftig. Meist wird man auf den Vogel durch seine Rufe aufmerksam. Das klagende »ku-ri« erinnert an den Ruf des Großen Brachvogels *(Numenius arquata)*. Das Nest ist nicht mehr als eine Mulde im Boden. Das Weibchen legt immer nur 2 Eier, die auf sandfarbenem Grund schwarzbraun gefleckt sind. Die Gelege findet man von Ende April an. Die Jungen schlüpfen nach 25 bis 27 Tagen Bebrütungsdauer. Sie sind – wie die Jungen der meisten Watvögel – Nestflüchter.

Goldregenpfeifer   *Pluvialis apricaria*

Dieser Regenpfeifer ist ein typischer Bewohner von Moor und Heide; im Norden begegnet man ihm vor allem in der Tundra. Sein Verbreitungsgebiet beginnt in Island, zieht sich durch Großbritannien nach Skandinavien und weiter bis ins nördliche Rußland. Vereinzelte Brutvorkommen liegen im nördlichen Mitteleuropa. Diese Vorkommen sind aber durch die Zerstörung der Lebensräume weitgehend erloschen. Entsprechend dieser Verbreitung kann man auch 2 Rassen unterscheiden. Die abgebildete nördliche Rasse zeigt eine goldgelb und schwarz gefleckte Oberseite und ein schwarzes Band, das sich vom Gesicht bis zum Bauch zieht, und das durch ein weißes Band gesäumt wird. Bei der südlichen Rasse ist diese Schwarz/weiß-Zeichnung der Unterseite eher verschwommen, die Säume sind nicht scharf. Außerhalb der Brutzeit sind die beiden Rassen nicht zu unterscheiden: Gesicht und Unterseite sind dann weißlich-gelblich gefärbt. Die Vögel legen 4 auf weißlichem Grund schwarzbraun gefleckte Eier in eine Bodenmulde.

Kiebitz *Vanellus vanellus*

Der Kiebitz ist ein recht anpassungsfähiger Watvogel und daher von der Trockenlegung von Feuchtgebieten nicht so betroffen wie andere Arten. Er kann auf feuchten Wiesen ebenso brüten wie auf trockenem Grasland oder sogar auf Feldern inmitten der aufgehenden Saat. Den auffälligen Vogel erkennt man leicht an der typischen Schwarz/weiß-Zeichnung des Gefieders und an der Federhaube am Kopf, die beim Weibchen kürzer ist als beim Männchen. Auch die Stimme des Vogels ist sehr einprägsam: Seine lauten »kieh-witt«-Rufe haben ihm den deutschen Namen eingetragen.

Der Kiebitz ist über den größten Teil Europas und Mittelasiens verbreitet. Von beiden Brutpartnern wird eine kleine Bodenmulde ausgedreht und mit ein paar Halmen ausgelegt. Auch dieser Watvogel legt 4 Eier. Die auf olivbraunem Grund schwarzbraun gefleckten Eier liegen gewöhnlich mit dem spitzen Pol nach innen. So werden sie optimal gewärmt. Volle Gelege findet man schon Ende März. Die Eier werden 24 bis 27 Tage lang bebrütet. Die unregelmäßig gefleckten Jungen können schon kurz nach dem Schlüpfen den Altvögeln folgen. Bei Gefahr drücken sie sich; sie sind dann gut getarnt. Das Nest möglichst schnell zu verlassen, ist für Bodenbrüter wichtig, denn dieser Platz ist durch Räuber besonders gefährdet. Außerhalb der Nestmulde ist das Risiko, gefressen zu werden, für die Jungvögel viel geringer.

Uferschnepfe *Limosa limosa*

Im Gegensatz zum Kiebitz verhält sich die Uferschnepfe ökologisch recht unflexibel. Sie ist durch die Umgestaltung der Landschaft – vor allem durch die Trockenlegung feuchter Wiesen – in ihrem Bestand sehr stark zurückgegangen, und andere Lebensräume hat sich der Vogel nicht erschlossen. Man muß den langbeinigen Vogel mit dem langen Stocherschnabel also schon auf Feuchtwiesen suchen. Seine Kennzeichen sind das rostbraune Gefieder, die weiße Flügelbinde und der an der Wurzel weiße, sonst schwarze Schwanz. Auf das letztere Kennzeichen sollte man vor allem außerhalb der Brutzeit achten. Dann kommt bei uns nämlich auch die Pfuhlschnepfe *(Limosa lapponica)* vor, die im Norden brütet. Sie weist einheitlich gefärbte Flügel und einen schwarz/weiß gebänderten Schwanz auf. Beide Arten treten zur Zugzeit vergesellschaftet auf. Das Gelege der Uferschnepfe besteht aus 4 Eiern, die auf olivbraunem Grund undeutlich dunkel gefleckt sind. Man findet die Gelege im April/Mai.

Großer Brachvogel   *Numenius arquata*

Mit rund 55 cm Länge und einer Spannweite von 1,10 m ist der Große Brachvogel deutlich stattlicher als die Uferschnepfe und damit der größte europäische Schnepfenvogel überhaupt. Er brütet in Großbritannien, Nordwestfrankreich, im mittleren Europa, in den Küstengebieten Skandinaviens und bis weit nach Rußland hinein. Neben seiner auffallenden Größe erkennt man den Vogel an seinem hellbraunen, dunkel gefleckten Gefieder, den langen Stelzbeinen und vor allem an dem langen, leicht abwärts gebogenen Schnabel. Auch die flötenden »tla-üh«-Rufe sind sehr einprägsam. Dem Großen Brachvogel begegnet man in Moorgebieten, aber auch auf sumpfigen Wiesen und Weiden. Es ist also leicht vorstellbar, daß die mitteleuropäischen Bestände in den letzten Jahrzehnten stark geschrumpft sind. Die Trockenlegung seiner angestammten Lebensräume hat den Vogel vielerorts vertrieben.

In den skandinavischen Mooren und in der Tundra begegnet man einem nahen Verwandten, dem Regenbrachvogel *(Numenius phaeopus),* der mit 41 cm Länge kleiner ist und sich von seinem größeren Vetter durch den dunkel gestreiften Kopf unterscheidet. Beide Arten legen meist 4 Eier in eine mit Pflanzenmaterial ausgelegte Bodenmulde. Die Brutdauer beträgt 4 Wochen. Die Vögel ziehen im Herbst nach Süden und überwintern im Mittelmeerraum bzw. in Westafrika. Die Großen Brachvögel treffen schon im März wieder an ihren Brutplätzen in Mitteleuropa ein.

Bekassine   *Gallinago gallinago*

Mit knapp 27 cm Länge ist die Bekassine wesentlich kleiner als der Brachvogel. Die Schnepfe brütet im gesamten mittleren und nördlichen Europa und in Asien. Ihr Lebensraum sind feuchte Moore und Sumpfwiesen, wo sie in Seggen oder Binsen ihr Nest baut. Das Weibchen legt 4 olivbraune, schwarzbraun gefleckte Eier. Es brütet allein; die Jungen schlüpfen nach 20 Tagen. Bei uns findet man die Gelege von Mitte April an. Obwohl die Bekassine nicht sehr selten ist, kann man sie doch kaum einmal in Ruhe beobachten. Dann fällt die Streifung auf Kopf und Rücken in dem sonst braunen Gefieder auf. Scheucht man sie aus der Vegetation auf, dann erkennt man sie an ihrem Zickzackflug und an den rätschenden Rufen. Sonst hört man auch ein monotones »tüke, tüke, tüke«. Während der Balzzeit vollführen die Männchen Balzflüge. Beim schnellen schrägen Abwärtsflug werden die Schwanzfedern gespreizt, und die äußeren erzeugen durch Vibration ein meckerndes Geräusch. Die Bekassine wird deshalb auch Himmelsziege genannt.

Kampfläufer *Philomachus pugnax*

Der Kampfläufer ist fast über das gesamte nördliche Europa und Asien verbreitet. Die Südgrenze seines Verbreitungsgebietes verläuft in Europa etwa von Westfrankreich über Norddeutschland bis Polen. Daneben gibt es noch einige inselartige Vorkommen. Die Männchen werden 30 cm lang, die Weibchen sind mit 23 cm Länge deutlich kleiner. Man kann also beide Geschlechter allein schon an der Größe unterscheiden. Ansonsten ist die Unterscheidung außerhalb der Brutzeit schwierig. Beide sind auf Kopf, Hals und Rücken braun gefärbt. Durch die hellen Federsäume erhält der Rücken ein schuppiges Aussehen. Die Kehle ist weißlich, die übrige Unterseite bis auf den hellen Bauch gräulich-bräunlich gefärbt. Ein gutes Merkmal ist die Zeichnung des Schwanzes. Die Vögel zeigen eiförmige weiße Flecken an der Schwanzwurzel. Dies macht eine Diagnose fliegender Vögel leicht.

Ganz anders sind die Vögel zur Brutzeit gefärbt. Die Weibchen sind dann insgesamt etwas kräftiger gezeichnet; die Männchen aber sind jetzt mit keinem anderen Vogel zu verwechseln. Sie tragen nämlich einen Kopfputz und eine riesige Halskrause aus Federn. Beide spielen eine Rolle bei der Balz. Kampfläufer balzen in Gemeinschaft, und erst wenn man so ein Schauspiel einmal beobachten kann, wird die ganze Farbenvielfalt der Männchen deutlich. Innerhalb der an einem Balzplatz versammelten Männchen gleicht keines dem anderen. Die einen tragen weiße Halskrausen, die anderen schwarzblaue. Daneben kommen auch welche mit rostroten Krausen vor. Kopfputz und Halskrause werden weit abgespreizt. Die Männchen drehen sich im Kreis, springen hoch und gehen auf die Nachbarn los. Ernstliche Verletzungen gibt es aber nicht. Dieses Schauspiel dient vielmehr ausschließlich dazu, sich zur Schau zu stellen und den Weibchen zu imponieren. Diese finden sich im Laufe der Balz am Balzplatz ein. Nach der Begattung ziehen sie sich zurück und bauen ihr Nest, eine mit Halmen ausgelegte Mulde am Boden. Es werden 4 Eier gelegt, die in der Färbung sehr variieren. Graubraune Grundtöne herrschen vor, ebenso eine dunkelbraune Fleckung. Volle Gelege findet man im Mai/Juni. Um die Brut und die Aufzucht der Jungen kümmert sich allein das Weibchen.

Kampfläufer brüten auf sumpfigen Moorwiesen. Zur Zugzeit sieht man sie aber auch an anderen Stellen. Die Vögel kommen in Mitteleuropa etwa Mitte März an und beginnen in der ersten Julihälfte wieder nach Süden abzuziehen.

Bruchwasserläufer   *Tringa glareola*

Dieser Wasserläufer ist über das gesamte mittlere und nördliche Europa und Asien verbreitet. In Europa verläuft die Südgrenze seiner Verbreitung etwa bis zu den Niederlanden, Norddeutschland und Polen. Auf dem Zug kommen die Vögel allerdings auch in anderen Gegenden vor. Um Ende April herum treffen sie bei uns ein. Man kann sie an ihrer schlanken Gestalt, dem bräunlichen, gesprenkelten Rücken, der fein gestreiften Kopf- und Brustpartie, dem hellen Überaugenstreifen und dem weißen Bürzel erkennen. Der Schwanz ist gestreift. Beim Auffliegen hört man ein schrilles »giff-giff-giff«. Sind die Vögel in Gesellschaft, hört man auch trillernde Rufe. Der Bruchwasserläufer brütet in Mooren, im Bruchwald und auf sumpfigem Wiesengelände; im Norden begegnet man ihm auch in der Tundra. An einer trockenen Stelle wird eine Mulde mit Pflanzenmaterial ausgelegt. Das Weibchen legt 4 Eier, die eine blaßolive Grundfarbe und eine dunkelbraune und rotbraune Fleckung zeigen. Die Gelege findet man im Mai/Juni. Der Wegzug der Vögel setzt bereits Mitte Juli ein.

Rotschenkel   *Tringa totanus*

Neben inselartigen Vorkommen in Westeuropa kann man den Rotschenkel in geeigneten Lebensräumen in Island, Großbritannien, in großen Teilen Skandinaviens und von den Beneluxländern ostwärts durch das mittlere Asien bis zum Pazifik beobachten. Geeignete Lebensräume sind für diesen Watvogel vor allem moorige, sumpfige Wiesen, besonders an den Küsten, aber auch im Binnenland. Der Vogel wird 28 cm lang. Die Körperoberseite ist graubraun gefärbt, die Unterseite gestreift und gefleckt. Besonders gut kann man den Rotschenkel aber an den namengebenden roten Beinen erkennen. Auch der Schnabel ist rot gefärbt, hat aber eine schwarze Spitze. Weiter fallen – vor allem im Flug – der schwarz/weiß gebänderte Schwanz, der weiße, nach vorne spitz zulaufende Hinterrücken und die weißen Flügelhinterränder auf. Auch akustisch ist der Rotschenkel leicht zu erkennen. Meist hört man eine absteigende »tjü-dü-dü«-Reihe von Rufen, bei Beunruhigung auch kläffende »tjik«-Laute. Die Vögel brüten gerne in Stellen mit verdichteter Vegetation, etwa einem Grasbüschel. Meist sind die Halme über dem brütenden Vogel zu einer Haube zusammengezogen, so daß er einen seitlichen Eingang benutzen muß, um auf das Gelege zu gelangen. Volle Gelege bestehen aus 4 Eiern, die auf ockerfarbenem Grund kräftig dunkelbraun gefleckt sind. Man findet sie in Mitteleuropa von Mitte April an.

Birkhuhn *Lyrurus tetrix*

Das Birkhuhn ist in Europa von Großbritannien und Skandinavien süd-
wärts bis Norditalien und den nördlichen Balkan verbreitet. Von hier aus
zieht sich das Verbreitungsgebiet durch das mittlere Asien hindurch bis
an den Pazifik. Der Blick auf die Verbreitungskarte könnte einem sugge-
rieren, das Birkhuhn wäre in Mitteleuropa noch häufig. Dem ist aber
ganz und gar nicht so! Die Bestände haben überall stark gelitten, und
zwar durch die Vernichtung der Lebensräume. Das Birkhuhn ist nämlich
ein typischer Bewohner von Heide- und Moorgebieten, sowohl im Flachland als auch in den Bergen. In den Alpen kann man den Vogel etwa in
Höhenlagen um die Baumgrenze herum beobachten. Aber wenn eben
ständig weitere Moore trockengelegt und abgetorft werden, dann ist für
das Birkhuhn kein Platz mehr. Es mögen weitere Faktoren hinzukom-
men, wie die Jagd, die Tierfotografie oder – vor allem – die Verluste an
Gelegen und Jungen (Birkhühner brüten am Boden!); aber wenn die
Landschaft noch großflächig intakter wäre, gäbe es auch diesen schönen Vogel noch häufiger. In Skandinavien mit seinem riesigen ungestör-
ten Mooren ist das Birkhuhn noch allenthalben anzutreffen.
Der Hahn wird 53 cm lang. Er trägt ein blauschwarzes Gefieder, einen lei-
erförmigen Schwanz, weiße Unterschwanzdecken und eine weiße Flügelbinde (Abb. oben). Über den Augen fallen die dunkelroten »Rosen«
auf, die im übrigen auch das Weibchen besitzt. Dieses ist mit 41 cm Länge deutlich kleiner und besitzt ein schwarz und braun gebändertes Gefieder (Abb. unten).
Wie die Kampfläufer, balzen auch die Birkhühner in Gemeinschaft. Zeitig
in der Morgendämmerung fallen die Hähne auf dem Balzplatz ein und zi-
schen und kullern – ein grandioses Naturschauspiel. Geraten zwei Hähne aneinander, fliegen oftmals die Federn. Die Hähne versuchen einan-
der mit dem Schnabel zu picken oder schlagen sich die Flügel um die
Ohren. Kurz nach Sonnenaufgang ist das Balzspektakel vorüber. Biswei-
len findet aber in den Abendstunden noch einmal eine kurze Balz statt.
Ziel der Balz ist natürlich die Begattung der Hennen, die anschließend 7
bis 10 Eier in eine Bodenmulde ablegen. Bei uns findet man die Gelege
von Mitte Mai an. Die Eier sind auf ockerfarbenem Grund dicht rostbraun
gefleckt.
Das Birkhuhn bleibt das ganze Jahr über in seinem Lebensraum. Nur in
der Winterzeit streifen die Vögel weiter umher.

Sumpfohreule *Asio flammeus*

Aus Wäldern und Feldgehölzen wird manchem Naturfreund die Waldohreule *(Asio otus)* bekannt sein, zumal sie sich in harten Wintern auch innerhalb der Städte an ihren Schlafplätzen beobachten läßt. Diese Eule hat ein graubraun marmoriertes Gefieder, lange Federohren am Kopf und orangegelbe Augen. Die Sumpfohreule wirkt dagegen eher gelblichbraun, also heller, und hat gelbe Augen; ihre Federohren sind klein und meist nicht zu sehen.

Während die Waldohreule fast nur in der Dämmerung aktiv ist, kann man die Sumpfohreule auch häufig bei Tag beobachten. Im Frühjahr sind die Eulen besonders aktiv, weil sie dann ihre Flugbalz aufführen. Die Männchen kreisen eine Zeitlang, dann gehen sie in den Sturzflug über und klatschen die Flügel unter dem Körper zusammen. Leider kann man dieses Schauspiel in Mitteleuropa nicht mehr sehr häufig sehen, denn die Sumpfohreule brütet in Mooren und Heiden, in sumpfigen Wiesen und in Dünengebieten, und diese Lebensräume sind starken Veränderungen ausgesetzt worden.

Als Ausnahme bei den europäischen Eulen baut die Sumpfohreule ein Nest, einen Bau aus trockenem Pflanzenmaterial, der am Boden angelegt wird. Wie andere Eulen auch, ist die Sumpfohreule in ihrem Bestand von der Beute, die hauptsächlich aus Mäusen besteht, abhängig. In Mäusejahren brüten die Vögel, und dann haben sie auch umfangreichere Gelege von bis zu 14 Eiern. Normal sind Gelege mit 4 bis 8 rundlichen, weißen Eiern. Man findet sie manchmal schon Mitte April.

Ziegenmelker *Caprimulgus europaeus*

Ein charakteristischer Bewohner der Heidegebiete und der lichten Kiefernwälder ist der Ziegenmelker (auch Nachtschwalbe genannt). Der amselgroße Vogel ist auf der Oberseite rindenfarbig, auf der Unterseite eng gebändert. Man wird ihn selten zu Gesicht bekommen. Tagsüber sitzen die Vögel am Boden oder aber in Längsrichtung auf den Ästen in Bäumen (s. Foto), und man übersieht sie leicht. In der Dämmerung gehen die Vögel auf Insektenjagd. Sie haben einen Schnabel, der sich unglaublich weit öffnen läßt. Ein Nest bauen die Nachtschwalben nicht. Die beiden Eier werden auf dem nackten Boden abgelegt.

Ziegenmelker sind Zugvögel, die uns im August/September verlassen, um in Ost- und Südafrika zu überwintern. Ende April/Anfang Mai kehren sie zurück, und in der folgenden Paarungszeit kann man dann auch ihren Gesang in der Heide hören, ein langanhaltendes, monotones Schnurren.

Heidelerche   *Lullula arborea*

Wohl jedem Naturfreund ist die Feldlerche *(Alauda arvensis)* bekannt, die zwar unscheinbar bodenfarbig gezeichnet ist, deren Gesang aber auffällt. Der Gesang wird in einem Singflug vorgetragen. Nach dem Aufstieg rüttelt die Lerche eine Zeitlang in der Luft, um dann wieder herabzuflattern. Kurz vor dem Boden bricht der Gesang ab. Während die Feldlerche nun auf Wiesen, Ackerflächen und Brachland zuhause ist, findet man die Heidelerche eher in sandigen Heidegebieten, in weiten Kiefernheiden und an Waldrändern. Der Vogel ist über fast ganz Europa verbreitet, kommt allerdings nicht auf Island, in Irland und den nördlichen Teilen Großbritanniens und im mittleren und nördlichen Skandinavien vor. Im Süden begrenzen Nordwestafrika und Kleinasien das Verbreitungsgebiet. Von der Feldlerche kann man den Vogel nur schwer unterscheiden. Es fallen aber die geringere Größe (15 cm gegenüber 18 cm Länge), der kürzere Schwanz, dem die weißen Kanten fehlen, und der helle, am Hinterkopf zusammenstoßende Überaugenstreif auf. Typisch sind auch die dunklen Abzeichen am Flügelbug. Schließlich ist der Gesang charakteristisch, den man ja bei vielen Singvögeln zur Artbestimmung im Feld heranziehen muß. Die Rufe kann man als ein melodisches »didloi« oder »didli« beschreiben. In den Gesang sind »lülülülü«-Triller und ein abfallendes »lürelürelüre« eingestreut. In einer Bodenvertiefung wird das Nest gebaut; meist werden 4 bis 5 Eier abgelegt. Gelege der ersten Brut findet man im April, die von Zweitbruten im Mai/Juni.

Weidenmeise   *Parus montanus*

Im Falle der Weidenmeise gibt es wieder eine nahe verwandte, sehr ähnlich aussehende Art, die Sumpfmeise *(Parus palustris)*. Gegen das graubraune Gefieder ist bei beiden Arten eine schwarze Kopfplatte und ein schwarzer Kehlfleck abgesetzt. Die Weidenmeise besitzt im Gegensatz zur Sumpfmeise einen hellen Flügelfleck. Bestes Unterscheidungsmerkmal sind aber die Rufe: Die Sumpfmeise ruft »pistjä« und »zjä-dä-dä«, während die Weidenmeise ein breites, gedämpftes »däh« hören läßt. Beide Arten können nebeneinander vorkommen. Sumpfige Bruchwälder sind der Lebensraum, in dem man nach Weidenmeisen suchen kann. Die Vögel meißeln ihre Höhle in morsche Stämme von Erlen oder Birken. Die Gelege bestehen aus 8 bis 9 Eiern. Man findet sie bei uns Anfang Mai.

Steinschmätzer   *Oenanthe oenanthe*   (Abb. oben)

Der Steinschmätzer ist über ganz Europa, große Teile Asiens, die Küsten Grönlands und Teile des nördlichen Nordamerikas verbreitet. Während man dem Vogel zur Zugzeit in allen möglichen Lebensräumen begegnen kann, hält er sich zur Brutzeit auf Heiden, Ödland und ähnlichem Gelände auf, im Norden auch in der Tundra. Ein besonders gutes Merkmal sind der weiße Bürzel und die schwarze Binde am Schwanzende. Allerdings fällt diese Zeichnung beim fliegenden Vogel eher auf als beim sitzenden. Steinschmätzer brüten in Löchern von Sandgruben, in Kaninchenbauten oder in Steinhaufen. Ihre Nester polstern sie mit Haaren und Federn aus. Die Vögel haben nur 1 Brut im Jahr. Volle Gelege bestehen meist aus 6 Eiern.

Sumpfrohrsänger   *Acrocephalus palustris*   (Abb. unten links)

Alle Rohrsänger sind mehr oder weniger an feuchte Lebensräume gebunden, der Sumpfrohrsänger vielleicht am wenigsten. Er ist von Mitteleuropa bis nach Rußland hinein verbreitet, und man trifft ihn hier in Gebüschen oder Auwäldern an, an Wassergräben, aber auch in Getreidefeldern. Der oberseits olivbraune, unterseits bräunlich-weiß gefärbte Vogel fällt vor allem durch seinen Gesang auf. Er erinnert etwas an das stereotype »tiri-tiri-trek-trek« des Teichrohrsängers *(Acrocephalus scirpaceus),* ist aber wohltönender und enthält vor allem viele Nachahmungen anderer Vogelstimmen. Das Nest steht immer in dichtester Vegetation; es wird an Halmen aufgehängt. Das Weibchen legt 4 bis 5 Eier; volle Gelege findet man Ende Mai. Stößt man bei einer Exkursion durch Sumpf- und Moorgebiete auf Röhrichtbestände, so kann man dort mit dem ganz ähnlichen Teichrohrsänger rechnen.

Raubwürger   *Lanius excubitor*   (Abb. unten rechts)

Der schwarz/grau/weiß gefärbte Raubwürger ist – wie die anderen Würgerarten auch – ein »Greifvogel unter den Singvögeln«. Er hat einen kräftigen Schnabel mit einem kleinen Haken an der Spitze. Er erbeutet andere Singvögel, kleine Säugetiere und Insekten. Das Nest ist ein solider Bau aus kleinen Zweigen. Er steht in Büschen oder Bäumen in 3 bis 10 m Höhe. 5 bis 6 Junge werden großgezogen. Der Vogel ist über große Teile Europas und Asiens, Nordafrikas und Nordamerikas verbreitet. Man kann ihn bei uns am ehesten in Heidegebieten beobachten, auf trockengelegten Moorflächen, aber auch auf Ödland.

Wiesenpieper   *Anthus pratensis*

Die Pieper sind ähnlich groß wie die Feldlerche und die Heidelerche, und sie ähneln den Lerchen auch in der Färbung und Zeichnung.
Der Wiesenpieper ist aber von der Feldlerche durch den dünneren Schnabel und den verhältnismäßig langen Schwanz ganz gut zu unterscheiden. Auch hier ist ein gutes Merkmal der Gesang. Zwar zeigt auch der Wiesenpieper Singflüge, seine Schmetter- und Singstrophen klingen aber ganz anders als das Trillern der Lerche. Der Pieper ist über das mittlere und nördliche Europa bis hinein in die Sowjetunion verbreitet. Sein Lebensraum sind moorige Wiesen, Ödland und ähnliches Gelände. Im Norden kommt er auch in der Tundra vor. Das Nest steht am Boden. Die Vögel legen meist 5 dunkelbraun gefleckte Eier; es finden 2 Bruten statt. Die Gelege der ersten Brut findet man oft schon Ende April.

Baumpieper   *Anthus trivialis*

Etwas schwieriger als Feldlerche und Wiesenpieper voneinander zu unterscheiden ist es, Wiesen- und Baumpieper gegeneinander abzugrenzen. Beide sind etwa 15 cm lang. Beide sind vorherrschend bräunlich gefärbt, beide sind auf der Unterseite dunkel gefleckt und gestreift, und beide haben weiße Schwanzkanten. Insgesamt wirkt der Baumpieper aber gelblicher, und seine Beine sind rötlich gefärbt; die des Wiesenpiepers sind bräunlich. All dies ist aber draußen nicht gut zu erkennen. Am besten kann man beide Arten an ihren Gesängen auseinanderhalten. Der Baumpieper singt von einer hohen Warte aus, vor allem aber im Singflug. Der wohltönende, von Trillern unterbrochene Gesang endet mit einem charakteristischen »zia-zia-zia«. Während dieses Teils des Gesangs gleitet der Vogel wie ein Fallschirm zum Sitzplatz zurück. Der Baumpieper ist über fast ganz Europa mit Ausnahme Irlands und großer Teile der Iberischen Halbinsel verbreitet. Das Verbreitungsgebiet zieht sich darüber hinaus bis weit nach Asien hinein. Sein Lebensraum sind lichte Wälder, Waldblößen und Kiefernheiden. Beide Pieper lassen sich also kaum im gleichen Lebensraum beobachten. Das Nest steht versteckt zwischen Heidekraut, Grasbüscheln, Heidel- und Preiselbeersträuchern. Das Weibchen legt meist 5 Eier, die in der Färbung sehr stark variieren können. Die Brutdauer beträgt 2 Wochen. Die Vögel ziehen im September nach Süden ab, um bei uns im April wieder einzutreffen.

Iltis   *Mustela putorius*

Der Iltis ist eines der Säugetiere, die man in etwa als typisch für Moor und Heide beschreiben kann. Aber er ist – wie die meisten Säugetiere – nicht eindeutig an einen Lebensraum gebunden. Innerhalb der Klasse der Säugetiere kann man u.a. die Ordnung der Raubtiere *(Carnivora)* einteilen, und hier ist der Iltis einzuordnen.

Der Iltis ist über fast ganz Europa bis hin zum Ural verbreitet. Ausgenommen sind weite Teile Großbritanniens und Skandinaviens und der südliche Balkan. Die Ansprüche dieses Marders an seinen Lebensraum sind nicht sehr hoch; es werden sumpfig-moorige Gebiete ebenso besiedelt wie Wiesen und Felder mit eingestreuten Gehölzen, und man kann ihn auch innerhalb von Städten und Dörfern antreffen. Iltisse werden 31 bis 46 cm lang, hinzu kommt der Schwanz mit einer Länge von 11 bis 18 cm. Die Weibchen wiegen mit 650 bis 800 g deutlich weniger als die Männchen, die 1 bis 1,5 kg schwer werden. Man kann den Iltis draußen leicht erkennen: Der Rumpf ist durchgängig schwarzbraun gefärbt, wobei allerdings die gelbliche Unterwolle deutlich sichtbar bleibt. Der Kopf ist sehr auffällig gefärbt: Die Schnauzenspitze und die Stellen um Augen und Ohren herum sind weiß. An dieser typischen Kopfzeichnung kann man den Iltis leicht eindeutig erkennen. Die Tiere jagen innerhalb individueller Reviere, die sie mit einem übelriechenden Sekret aus den Duftdrüsen am After markieren. Ihre Beute besteht aus Spitzmäusen, kleinen Nagetieren, Fröschen und Vögeln. Iltisse sind überwiegend nachtaktiv. Im März/April paaren sich die Tiere. Nach einer Tragzeit von rund 7 Wochen werden 3 bis 7 Junge geboren, die im Alter von rund 3 Monaten selbständig werden.

Rotfuchs   *Vulpes vulpes*

Der Fuchs ist ebenfalls ein Raubtier, aber eines aus der Familie der Hundeartigen *(Canidae)*. Er wird bis zu 80 cm lang, hinzu kommen für die buschige Lunte noch einmal 50 cm. Der Fuchs ist über fast ganz Europa, große Teile Asiens und Nordamerikas verbreitet. In Australien kommt er auch vor, wurde dort aber vom Menschen eingeführt. Füchse verhalten sich ökologisch sehr flexibel. So stellt er an seinen Lebensraum keine hohen Ansprüche, nur müssen Deckungsmöglichkeiten vorhanden sein. Und sie müssen natürlich ihre Erdbaue graben können, in denen sie ruhen und ihre Jungen zur Welt bringen. Das Weibchen – die Fähe – wirft 3 bis 5 Junge, die sich nach etwa 1 Monat selbständig machen. Nach rund 9 Monaten sind die Jungfüchse geschlechtsreif.

Wildkaninchen   *Oryctolagus cuniculus*

Kaninchen sind nahe verwandt mit dem Feldhasen *(Lepus europaeus)*; beide gehören zur Säugetierordnung der Hasenartigen *(Lagomorpha)*. Die Tiere stammen ursprünglich von der Iberischen Halbinsel und sind heute als Produkt menschlichen Einflusses über große Teile Mittel- und Südeuropas verbreitet. Ihr Lebensraum sind trockene Heideflächen mit warmem, sandigem Boden. Auch die Ränder von Kiefernwäldern auf Sandboden werden besiedelt. Der lockere Boden ist Voraussetzung dafür, daß die Kaninchen ihre tiefreichenden Erdbaue graben können. In den Bauen schlafen sie; hier bringen sie sich in Sicherheit, und hier ziehen sie ihre Jungen groß. Kaninchen leben stets gesellig. Die flinken Tiere werden 35 bis 45 cm lang und 1,5 bis 2 kg schwer. Kennzeichen sind das graubraune Fell und die gegenüber dem Feldhasen deutlich kürzeren Ohren, die außerdem – wiederum im Gegensatz zum Feldhasen – keine schwarzen Spitzen aufweisen. Kaninchen sind sehr fruchtbar: Die Weibchen können 5 bis 7 Würfe pro Jahr zur Welt bringen. Jeder Wurf kann bis zu 7 Nachkommen stark sein. Nach 3 Wochen zeigen sich die Jungen erstmals am Baueingang. Bei hoher Bestandsdichte werden die Kaninchen oft von Seuchen heimgesucht.

Reh   *Capreolus capreolus*

Das Reh gehört zu Ordnung der Paarhufer *(Artiodactyla)*. Trotz der Veränderungen in der Landschaft haben sich in Mitteleuropa noch größere Bestände gehalten. Rehe halten sich aber tagsüber in Dickungen auf, und man sieht sie meist erst in der Dämmerung. Je nach Lebensraum kann man Feldrehe und Waldrehe unterscheiden. Erstere leben in Gebieten mit vorherrschend niedriger Vegetation, also in Moor- und Heidegebieten, auf Wiesen und Feldern mit eingestreuten Gehölzen. Rehe werden bis zu 1,35 m lang und bis etwa 30 kg schwer. Kennzeichen sind der weiße sogenannte Spiegel um den kurzen Schwanz herum und beim Bock das Geweih. Es trägt maximal 4 Enden je Stange; Sechserböcke sind aber die Regel. Bis zum Sechserbock durchlaufen die männlichen Tiere die Stadien Spießer und Gabler.

Vom Herbst bis zum Frühjahr leben Rehe in Gruppen (Sprüngen) zusammen. Zur Setzzeit hin lösen sich diese auf. Die Ricke bringt 1 bis 3 Kitze zur Welt, die der Mutter sofort folgen können. Sie werden 3 Monate lang gesäugt. Danach bleiben aber Ricke und Kitze noch eine Zeitlang zusammen. Erst nach rund 1 Jahr machen sich die jungen Rehe selbständig.

Heidschnucke   *Ovis ammon aries*

Ohne Schnucken keine Heide! – Dieser Satz ist auf zweierlei Weise berechtigt. Denn einmal gehört als typisches Erlebnis zu einer Wanderung in der Lüneburger Heide, einem Schäfer mit seiner Heidschnuckenherde zu begegnen. Zum anderen wäre die Heide im jetzigen Zustand nicht zu erhalten, gäbe es die Schnucken nicht. Die Schafe verbeißen die Heide und nebenbei auch junge Kiefern und Birken. So bleiben die Flächen offen. Heidschnucken und Bienen waren früher die wirtschaftlichen Grundlagen eines Heide-Bauernhofes. Noch im vorigen Jahrhundert lebten im norddeutschen Raum zwischen 1 und 2 Millionen Schnucken. Um 1900 gab es im damaligen Heidegebiet dann noch etwa 100 000 Tiere, und heute leben dort nur noch etwa 20 000 Tiere. Im Naturschutzgebiet Lüneburger Heide sind es etwa 5000, die in rund 10 Herden aufgeteilt sind.

Eine typische Schnuckenherde besteht aus 350 bis 400 Muttertieren und einigen Böcken. In der Zeit zwischen Januar und März werden die Lämmer geboren, und dann wächst die Herde auf 700 bis 800 Tiere an. Kurz vor dem Winter werden die Herden dann wieder verkleinert. Heidschnucken sind eine ursprüngliche Schafrasse und stammen vom Mufflon *(Ovis ammon musimon)* ab, das nach der letzten Eiszeit nur noch auf Korsika und Sardinien vorkam. Bereits in der frühen Steinzeit, um etwa 6000 v. Chr., wurden Schafe zu Haustieren. Sie liefern Milch, Fleisch und Wolle. Die Wolle der Heidschnucken ist allerdings nicht sehr begehrt; sie ist leicht und haarig. Das führt dazu, daß die Preise, die der Schäfer für die Wolle erzielt, niedriger liegen als die für die Schur, die normalerweise einmal im Jahr – im Juni – stattfindet. Bessere Preise bringen schon die gegerbten Felle, die sich auch gut verkaufen lassen. Das wichtigste Produkt ist aber heute das Fleisch der Tiere, das im Geschmack weniger an Hammelfleisch als vielmehr an Wildbret erinnert. Dennoch ist es wohl so, daß die Schnuckenhaltung längst der Vergangenheit angehören würde, wenn sie nicht ökologisch so wichtig wäre.

Da die Tiere – wie alle Schafe – genügsam sind und sich mit Hütehunden leicht zusammenhalten lassen, ist die Schnuckenhaltung nicht schwierig. Pro Tier wird als Nahrungsgrundlage etwa 1 Hektar Heidefläche benötigt. Häufig müssen die Schäfer aber auf geringeren Flächen hüten und deshalb zufüttern. Da das dünne Fell der Schnucken Sonne und Regen leicht durchläßt, kommen die Tiere bei entsprechenden Witterungsbedingungen in die Ställe, die ebenfalls ganz typische Bestandteile des Landschaftsbildes in der Lüneburger Heide sind.

Register

Weiterführende Literatur zum Thema

Wilhelm und Dorothee Eisenreich (Hrsg.)
Der große BLV Naturführer

470 heimische Tier- und Pflanzenarten, gegliedert nach den Lebensräumen Wälder, Wiesen und Felder, Feuchtgebiete, Strand und Küste, Alpen.
2. Auflage, 191 Seiten, 523 Farbfotos, 6 Zeichnungen

BLV Bestimmungsbuch 35
Dankwart Seidel/Wilhelm Eisenreich
Foto-Pflanzenführer

440 heimische Pflanzenarten – einschließlich Gräsern und Gehölzen: Kennzeichen, Blütezeit, Standort, Verbreitung, Verwendung, Gefährdung sowie ein neues Schnellbestimm-System.
288 Seiten, 442 Farbfotos

BLV Bestimmungsbuch 11
Archibald Quartier
Bäume + Sträucher

Alle wichtigen europäischen wildwachsenden Bäume und Sträucher: Standort, Verbreitung und Aussehen.
3. Auflage, 259 Seiten, 80 Farbtafeln, 73 Verbreitungskarten, 52 Umrißzeichnungen

BLV Bestimmungsbuch 23
Einhard Bezzel/Björn Gidstam
Vögel

341 Arten Mittel- und Nordeuropas mit Angaben zu Kennzeichen, Lebensraum, Nahrung, Fortpflanzung und Wanderung.
2. Auflage, 320 Seiten, 800 farbige Abbildungen, 323 Verbreitungskarten, 1 Zeichnung

BLV Verlagsgesellschaft München

FI 20, —